O MALABARISTA

O MALABARISTA

OS MELHORES TEXTOS DE ARNALDO JABOR

Todos os direitos desta edição reservados à
Editora Objetiva Ltda.
Rua Cosme Velho, 103
Rio de Janeiro – RJ – Cep: 22241-090
Tel.: (21) 2199-7824 – Fax: (21) 2199-7825
www.objetiva.com.br

Capa
Victor Burton

Imagem de capa
© Jodielee | Dreamstime.com

Revisão
Ana Kronemberger
Fernanda Vilanova
Cristiane Pacanowski

Editoração eletrônica
Abreu's System Ltda.

CIP-BRASIL. CATALOGAÇÃO NA PUBLICAÇÃO
SINDICATO NACIONAL DOS EDITORES DE LIVROS, RJ

J12m

Jabor, Arnaldo
O malabarista / Arnaldo Jabor. – 1. ed. – Rio de Janeiro: Objetiva, 2014.

214p. ISBN 978-85-390-0610-6

1. Crônica brasileira. I. Título.

14-13541 CDD: 869.98
CDU: 821.134.3(81)-8

Prefácio

Há mais de vinte anos botei minha cabeça na encruzilhada, como um despacho entre mim mesmo e o país em volta. Fica ali aquela cabeça no chão, recebendo os detritos do que acontece na vida brasileira, lixo luminoso para compreender as taras nacionais. Eu me deixo deformar pelos ataques do mundo. Quero ser repórter e prova do crime.

Instantes ínfimos compõem meu passado. Por isso, ao escrever memórias, pergunto-me: como relatar experiências irrelevantes para os outros, eu que nunca matei leões? Como falar de passado um pequeno-burguês branco nascido no Brasil, criado no ritmo careta da classe média dos anos 60? Já houve quintilhões de seres humanos em todas as civilizações: aventureiros, heróis, revolucionários, santos e malucos — com que direito elejo frágeis lembranças para ilustrar minha pobre vida?, pensei.

Mas, afinal de contas, o que é uma vida? Através dos milênios, o corpo é o mesmo. E há um sinal de eternidade nisso, pois nas covas da pré-história, em batalhas, em pestes arrasadoras, em séculos de mutações incessantes, o corpo está sempre presente com sua monótona aferição de sentimentos.

O corpo fica intacto sob calamidades e coroamentos, como aquele homem pré-histórico encontrado sob a neve, onde dormiu com seu arco e flecha e sua roupa de pele de urso durante cinco mil anos, enquanto os impérios ruíam sobre sua cabeça congelada — muito abaixo da passagem da história.

Não sei se é arte ou quase arte o que escrevo, pois tento no texto do jornal uma seriedade literária, atingindo mais leitores que no livro. Acho que faço uma arte meio grafitada me expondo aos estragos que nossa ópera-bufa faz ao país. Acho que um banho de efêmero só faz bem à literatura.

Não tolero a postura de bom senso ideológico que serve de trincheira ao jornalismo crítico. Ninguém está fora do jogo. Estou dentro. Ser digno não basta — se alguma coisa me restou do modernismo, foi a crença numa vã esperança de mudanças. Esse vício secreto do Cinema Novo não quero perder.

Aqui vão os textos que escrevi nesses vinte anos que considero relevantes e dos quais mais me orgulho.

Espero que achem o mesmo.

Infância

Nós morávamos em casa de subúrbio, pequena, com quintal, galinha e mangueira. Tudo era baldio, cambaio, toda a precariedade do subúrbio era visível a olho nu. Nas famílias vizinhas sempre havia uma ponta de silêncio, olhos sem luz, depois de casamentos esperançosos com buquês arrojados para o futuro que morria aos poucos. Não era a tristeza da pobreza; a tristeza era quase uma "virtude" que as famílias cultivavam. Nas ruas da infância havia uma infelicidade negada, mas visível, uma tristeza não reconhecida, uma fome vazia.

Não sei por quê, em vez de viver, eu via os outros vivendo.

Um dia, quando conheci os rudimentos da vida sexual, quando me contaram de "papai e mamãe, de pau e boceta", passei a ver tudo sob essa ótica; sim, essa era a "força estranha" que movia as pessoas, apesar de ser tratada como um segredo dos adultos. Todos os atos me pareciam motivados pelo sexo: dinheiro, poder, amor, tudo tinha como fim a reunião de partículas, a colagem de átomos, a realização de um prazer que eu nem imaginava.

As noites eram mais escuras. Volta e meia, faltava energia; tudo se apagava subitamente (com gritos de "Aiiii!") e, minutos depois, a luz voltava, com um "ahhhh!" geral de alívio nas ruas. Quando tive sarampo, puseram um papel vermelho na lâmpada do teto. O quarto ficou inflamado, como eu. Da rua vinham ruídos remotos: cachorro latindo, o pregão do vassoureiro, gritos de crianças, cigarras. A tarde caía roxa, como a luz do quarto.

Era curta minha paisagem noturna de menino: rua, poste amarelo, fogueira no capinzal, a luz verde no rádio de meu pai, onde eu ouvia o "Anjo", a luz do carbureto do pipoqueiro, a luz nas poças com a lua tremendo na água. De noite, eu era um menino triste. De dia, o sol era meu, a chuva era minha, minhas eram as nuvens-camelo, as nuvens-girafa, que eu contemplava deitado no chão de terra onde as formigas eram minhas, os caramujos eram meus, sua gosminha madrepérola era minha.

Eu já percebia dramáticas fragilidades na minha família, uma infelicidade latente na sala, gritos atrás da porta do quarto, minha mãe em prantos diante de meu pai enfurecido de ciúme, pois ela saíra sem meias de náilon.

Eu devia ter uns 5 anos. Um dia, começaram a falar num tal de "eclipse". O que era isso? O rádio anunciava o fato o tempo todo: "O mais importante fenômeno, o maior eclipse da história da ciência, o eclipse total do sol!" O Brasil era o lugar ideal para observá-lo. Explicaram-me e eu não entendi. Chegavam cientistas estrangeiros, aparelhos, comitivas que os locutores celebravam. O Brasil se sentia importante, pois servia ao menos de camarote de eclipse.

Eu fui para o quintal, olhar o céu. A molecada olhava o céu. Até que aconteceu. O rádio berrava a hora H, como narrando um jogo de futebol: "Olha lá, olha lá! Tá chegando!" Aos poucos, o sol foi invadido por uma sombra, e tudo ficou negro no meio do quintal. Caíra uma noite súbita, cinzenta, sinistra — por quanto tempo? Os passarinhos pararam de piar, as folhas ficaram pretas, o vento ficou audível, minha casa se apagou ao fundo, com meu pai, minha mãe e as empregadas na varanda, todos olhando para cima.

Eu olhava o sol negro, mas também via a minha família toda ali.

E então, no escuro do eclipse, vi a fragilidade daquelas pobres pessoas de subúrbio, eles, eu, batidos por um vento frio, trêmulos de espanto com o céu, nós todos, ali, desamparados.

Baixou-me a sensação de que a casa, minha mãe, papai de uniforme de capitão, minha irmãzinha chorando, a triste empregada com pano branco na cabeça rezando, as árvores, as galinhas, tudo ia passar, e que nós íamos nos apagar também um dia, pois tudo tinha ficado mais longe. Minha vida de criança solitária foi deslocada pelo eclipse: o sol não era mais meu, o céu, meus pais, nada era fixo, nada era nosso; eu senti que minha pobre família viajava num tempo escuro, sem controle. No Brasil, havia gente muito mais importante que nós, os estrangeiros, os cientistas, e nós ali, de cara para cima, olhando um céu preto. O mundo tinha vida própria, o sol não se importava conosco, emocionados e frágeis.

O rádio falava em "fenômeno". Que fenômeno? Naquele dia, entendi confusamente que "fenômenos" éramos nós.

* * *

"Falem por alto!...", minha mãe dizia, quando eu entrava na pequena sala de visitas, com poltronas verdes e um quadro de rosas na parede. Naquela época, o tempo era lento, as ruas silenciosas, as tardes vazias e as mulheres casadas se visitavam, em busca de alguma verdade que explicasse suas vidas;

mas, quando se reuniam na salinha de minha mãe, ficavam tensas e grandes verdades morriam mudas.

Por isso, as conversas viravam sempre para o mundo "lá fora", pois a vida era dividida entre o que se passava na rua e "dentro" das casas, onde os filhos se criavam, as empregadas cozinhavam e os maridos chegavam. Mas não havia "fora" nem "dentro".

Só havia o rádio com tristes novelas, havia os telefones pretos e as geladeiras brancas, havia os sofás de cetim e as almofadas de crochê; mas elas se sentiam vazias de alguma coisa que ignoravam, sentiam-se barradas de um baile que devia existir em algum lugar, sonhavam com filmes americanos, beijos ardentes, finais felizes, galãs tão diferentes dos maridos deprimidos que chegavam do escritório.

Minha mãe tinha uma voz especial para as amigas, frases escolhidas ponteadas de sorrisos, ostentando uma felicidade tranquila que eu não via no dia a dia. Era a mesma voz que usava para falar ao telefone com as cunhadas tão odiadas por ela — uma voz estudada, afetuosa, que sumia e dava lugar a um rosto rancoroso quando desligava. Por que ela muda a voz? — eu pensava. As visitas também falavam com o tom discreto e calculado de senhoras casadas, como se temessem alguma coisa — o quê, meu Deus? — a perda da dignidade de esposas honestas?

Aquela tristeza no ar me intrigava. Tristeza nas lâmpadas fracas, nos rostos das mulheres de minha família.

Quando eu entrava na sala, minha mãe avisava: "Falem por alto!..." — era a senha para não falarem coisas que eu não podia ouvir.

Então, o mundo se encantava, aquela salinha de visitas virava um tesouro de mistérios. Elas possuíam um segredo que me era vedado, ocultado.

E tudo ficava interessantíssimo, pois, para além daquela salinha feia, havia algum acontecimento extraordinário, talvez até um crime que não me revelavam — por quê? Eu me encolhia no chão entre as cadeiras, tentando pescar algum indício em suas falas que não eram para crianças como eu, ali, me contorcendo entre pernas cruzadas e xícaras de café. "Falem por alto...!"

Aí, a conversa mudava para frases cortadas ao meio, gestos e mímicas cifradas: "Ah... Fulana, vocês sabem quem é, aquela, aquela... Pois o marido não viajou, não. Largou ela por uma... Já sabem... Uma (quem, quem?), uma da 'vida' , '*femme du bas fond*' (falavam francês na época)... E a filha dela? Será que ela ainda é... Acho que ela já perdeu 'aquilo'... Ihh, já furou há muito tempo!..." Os risos vinham repassados de um pudor discreto de senhoras. "Perdeu o quê?", pensava eu no chão. Eu tinha que descobrir.

"E Sicrana? Sabem quem é, não? Ah, essa 'costura pra fora'!"

O gesto de minha tia foi para o outro lado da rua. "Lá... lá...", apontavam. Mas "lá" era a casa de dona Nina, mãe do meu amigo Caveirinha, que não era costureira, pensei, alarmado.

"É só olhar: toalhinhas higiênicas com sangue no varal, calcinhas na janela, novela alta, roupa berrante para uma viúva, maiô de duas peças na praia!"

"Eu me benzo quando passo em frente!", disse a prima pobre, humilde, ouvida com pouco afeto, pois temiam que pedisse alguma ajuda para sua miséria de tamancos e unhas sujas.

Havia nas pernas apertadas, nas saias discretas, uma solidão que não conseguiam ocultar, mesmo nas conversas íntimas, troca de cochichos e maledicências. Escondiam-me fatos, mas eu sentia a presença de algo que não estava ali.

Olhei pela janela e vi dona Nina numa cadeira na varanda, alta e muito branca. Devia estar esperando o filho, meu amigo Caveirinha. Senti que lá estava a resposta para a conversa "por alto" e comecei a ter medo e desejo de ir à casa de dona Nina.

Para disfarçar, aumentei minha criancice, me arrastando entre as cadeiras, forçando a fatal repreensão de minha mãe, ao me ver acariciando a perna de minha tia mais moça, perna gorda, com estrias azuis, boa de pegar, que minhas mãos alisavam, apertando a panturrilha. "Menino...! Para com isso!" "Este menino é danado", diziam, com sorrisos maldosos...

Meu pai chegou do trabalho e entrou na sala. As dragonas rebrilhavam na farda de capitão. Tudo mudou. Minha mãe correu a abraçá-lo, exibindo um afeto conjugal que não o comoveu em sua viril antipatia. As vizinhas se ergueram, nervosas com sua presença. O bigode, o cabelo com brilhantina, o uniforme, tudo as fazia arfar de emoção enquanto se aprestavam: "Já estamos de saída..." (Por que aquela súbita pressa?, eu pensava.)

E foram embora, como um grupo de refugiadas. Ficou a sala vazia, onde não tinha acontecido nada naquela tarde, nada houvera ali, nada, além de seus desejos não formulados. Elas não sabiam o que desejar e não sabiam que não sabiam.

A noite ia cair e eu resolvi ir à casa do Caveirinha. Cheguei ao portão aberto e fui entrando. Ninguém estava no quarto do Caveirinha, Carlos Eduardo para a mãe, que era viúva de um marido que, diziam, bebia e que caíra na linha do trem. Ninguém.

Súbito, no fundo do corredor, ouvi um choro remoto. No quarto já avermelhado pelo fim do dia, vi, pela fresta da porta, dona Nina, enrodilhada num sofá do quarto, de costas para a porta e nua — completamente nua. Ela soluçava num choro convulso e seu corpo tremia muito. Seu pranto crescia para um gemido cada vez mais alto, mais alto e, súbito, parou, com um grito. Depois de um tempo, ela se ergueu. Ela não chorava. De olhos secos, veio andando em direção à porta de onde eu a espreitava. Sua nudez era coberta de pelos negros no púbis, que se alastravam pelas pernas muito brancas. Nua como uma Vênus peluda. Fugi em pânico. Tinha visto alguma coisa que eu não sabia o que era, mas entendi que era o que eu não podia saber. Nunca mais visitei o Caveirinha.

* * *

Às vezes tenho vontade de telefonar para minha mãe. Mas minha mãe já morreu. Mesmo assim, quis ligar, pois talvez houvesse um milagre e ela atendesse: "Alô? 284858? Mamãe?"

Na época desse número remoto do Méier, sua voz era jovem e feliz. Depois, foi enfraquecendo por outros números, até o tempo em que, já velhinha, atendia triste e doente o 478378: "E aí, meu filho... Tudo bem?" Como seria bom o telefone me salvar e alguém me chamar de "meu filho". Seria bom ser teletransportado ao passado e fugir das dores do país, do mundo e de mim mesmo. Confesso que, em alguns momentos de desespero, eu já liguei escondido para números antigos de casas em que morei. Ouvia a voz anônima e falava: "Desculpe, é engano...", com a sensação de, por instantes, ter visitado minha velha casa.

Minha mãe era linda. Parecia a Greta Garbo. Um dia, meu avô bateu nuns vagabundos que mexeram com ela, ainda mocinha, na base do "Tem garbo, mas não tem greta" e outras sacanagens de época... Meu avô, malandro e macho, pegou a bengala e cobriu-os de porrada.

A vida de minha mãe foi a tentativa de uma alegria. Sorria muito, trêmula, insegura e, nela, eu vi a história de tantas mulheres de seu tempo buscando uma felicidade sufocada pelas leis do casamento, pela loucura repressiva dos maridos. Meu pai era um árabe alto, de bigode, pilotando aviões de guerra; era um homem bom e amava-a, mas nunca conseguiu sair do espírito autoritário da época e, inconscientemente, se enrolou numa infelicidade que oprimia os dois.

Na classe média carioca dos anos 50, cercados de preconceitos, medos e ciúmes nas casas sombrias, os casais estavam programados para tristezas indecifráveis. Eram cenários estreitos para o amor: a casa do subúrbio, o apartamento mixa de Copacabana, onde vi minha mãe enlouquecer pouco a pouco, tentando manter um sonho de família, tentando manter a cortina de veludo, a poltrona coberta de plástico para não gastar, os quadros de rosas e marinhas e a eterna desculpa para os raros visitantes: "Não reparem que a casa não está pronta ainda..." (isso, com cinquenta anos de casada). A casa nunca ficou pronta, como ela, Greta Garbo do subúrbio, sonhou: a casa feliz, com bolos decorativos nas festas, seu orgulho. A única coisa que ela sabia fazer: bolos em forma de avião, para homenagear meu pai piloto, em forma de livro, para me fazer estudar, ou em forma de piano, para minha irmã tocar naqueles aniversários em que os sofás de cetim marrom e branco eram descobertos com vaidade.

Na juventude, minha mãe era infeliz e não sabia, pois todas as suas forças eram convocadas para esquecer isso. Cantava foxes, para desgosto de meu pai, e ria com medo — se bem que ninguém era muito feliz naquele tempo. Não havia essa infelicidade esquizofrênica de hoje, mas era uma infelicidade tristinha, com lâmpada fraca, uma infelicidade de novela de rádio, de lágrimas furtivas, de incompreensões, de conceitos pobres para a liberdade. Eu via as famílias; sempre havia uma ponta de silêncio, olhos sem luz, depois dos casamentos esperançosos com buquês arrojados para o futuro que ia morrendo aos poucos. Não era a tristeza da pobreza; dava para viver, com o Ford 48 sendo consertado permanentemente por meu pai sujo de graxa. Aos domingos, com o rádio narrando o futebol, dava para viver com uma empregadinha mal paga, dava, mas a tristeza era quase uma "virtude" que as famílias cultivavam, sem horizontes.

Toda a minha vida consistiu em fugir daquela depressão e em tentar salvá-los. Eu queria dizer: "Saiam dessa, há outras vidas, outras coisas!", logo eu, que achava que ia descobrir mundos luminosos feitos de revoluções e de prazeres, eu, que achava que viveria na vertigem do sexo que se libertava, na bossa nova, na arte, ilusões que foram logo apagadas pelo golpe de 64 que, com apoio do meu pai, restaurou a luz mortiça das famílias, das esposas conformadas em seus cativeiros.

Minha geração se achava o "sal da terra", tocada pela luz da modernidade. Mal sabíamos do outro desamparo que viria; não a melancolia do rádio aceso no escuro, não a televisão Tupi ainda trêmula em preto e branco, não as esquinas cheias de mistério, não o apito do guarda-noturno, mas a nossa impotência diante do excesso de acontecimentos.

Hoje, vivemos essa liberdade desagregadora, vivemos o medo das ruas, das balas perdidas, que não havia quando mamãe ia visitar a médium de "linha branca" que lhe prometia felicidade com voz grossa de "caboclo". Antes, minha mãe e meu pai tinham a ilusão de uma "normalidade". Hoje, todos nos sentimos sem pai nem mãe, perdidos no espaço virtual, dos e-mails, dos contatos breves, da vida rasa sem calma. Que vai nos acontecer neste mundo, neste país de crimes e de riscos — Brasil, onde nada se soluciona, onde tudo é impasse e encrenca? Será que nunca mais teremos sossego? Sinto imensa saudade da linearidade, do princípio, do meio e do fim das vidas, e tenho medo de ter morrido e de não perceber. Por isso, me dá essa vontade profunda de pegar o telefone e discar, não num celular volúvel, mas num aparelho preto, velho, de ebonite, discar, ouvir a voz de minha mãe e reaparecer na salinha de móveis Chippendale e vê-la sempre querendo ser feliz, mas com vergonha das visitas: "Não reparem que a casa não está pronta..."

Na verdade, tenho vontade de discar, mas é para saber quem sou eu. E quando disserem: "Quem fala?" — pensarei: "É o que me pergunto sempre..." Mas sei que vou desligar dizendo: "Desculpe, é engano..."

* * *

Minha formação sexual foi feita pelo saudoso pipoqueiro Bené, nos idos de 1950, quando encostávamos em sua carrocinha para ouvir, entre estalidos de pipoca quentinha, as artes nobres das "bimbadas" famosas. O pipoqueiro Bené era olhado por nós com respeito fascinado e seu bigodinho carioca, raso e brejeiro, parecia o Don Juan ali da Urca (quantos se lembram do grande Bené, orgulhoso, baixinho, cabelo com Gumex, um dente de ouro, papando as empregadas e até madames solitárias que se esfregavam na carrocinha quente, divididas na eterna dúvida: "doce ou salgada?"). Bené nos contava as histórias mais profundas sobre sexo e amor, que bebíamos encantados, já que nossos pais e mães art déco jamais iam muito além da cegonha. Neste mister, Bené, o pipoqueiro, era ajudado por Alfredinho, o aleijado. Alfredo tinha as duas perninhas penduradas entre as muletas, mas ostentava um tórax invejável, devido ao exercício de se mover. E os dois, como uma dupla ensaiada, nos iniciavam nos mistérios da carne, se bem que Alfredinho era menos confiável, pois se gabava de aventuras inverossímeis, que, dada a sua condição de deficiente, nos pareciam fantasias compensatórias para a sua infelicidade.

Bené, não. Esse, enquanto enchia os saquinhos de pipoca, dentro de seu aventalzinho branco, nos ensinava, por exemplo, que a punhetinha, se batida com a mão debaixo da perna, era melhor, pois fazia-a dormente e aumentava o prazer, parecendo a dita punhetinha estar sendo batida pela mão de outrem, de preferência a bela mãe de algum amigo, ou da Terezinha, de 15 anos, que ele ambicionava, embora soubéssemos que era em vão, por ser a menina de outra classe social e loura, jamais para seu bico. E muito menos para o bico de Alfredo, o aleijadinho, este sim, se esmerando em narrar aventuras rocambolescas, como a da mulher do major da Aeronáutica que ele afirmava ter "bimbado", se balançando nas muletinhas, debaixo da escada que serpeava sob o flamboyant coberto de cigarras. Pelas mãos desses dois mestres, fui sendo formado, aprendendo coisas fundamentais, como da importância da vaselina ou do cuspe para imaginadas ações de sodomia em menininhas ou da necessidade de termos olhos de lince para distinguir quem era "viado" ou não, o medo máximo que nos rondava a todos e cuja simples menção como xingamento numa pelada de rua nos obrigava a lutas terríveis entre arranhões e gravatas. Se "viados" fôramos, eles nos advertiam, poderíamos acabar como o mendigo-bicha Amélia, andando com saco nas costas e sujo, e que, segundo Bené, tinha dado mijo para a mãe beber no leito de morte, vingando-se da condição de "viado" excluído, o que lhe valera o castigo de Deus de ser mendigo, catando papel, revirando os olhos com arrebiques femininos pelas sarjetas. Bené e Alfredinho nos avisavam também dos perigos de uma estirpe de meliantes, os tremendos "bocas de fogo", como eram chamados os comedores de meninos bobos, dos quais o mais temido era o Chita, ex-pracinha neurótico da Segunda Guerra que "dava" nos fundos de garagem ou nas pedras da amurada, se bem que, advertia Bené, "comeu tem de dar, e olha que o Chita já comeu fulano e sicrano".

Pela sábia supervisão de Alfredinho, vimos pela primeira vez a fascinante revista de sacanagem *Saúde e Nudismo*, toda em monocromatismo azulado, que nos arregalava os olhos diante de mulheres suecas fora de foco, deitadas de lado em rochedos da Escandinávia. O sexo que íamos aprendendo não tinha esta invejável liberdade dos garotos de hoje, o sexo era um corredor secreto, um filme de suspense, um crime feito em fundos de quintal. Foi Bené quem me explicou a "camisa de vênus" que eu achara no banheiro de meus pais, bola de encher leitosa, prova do pecado de minha mãe, que me valeu noites de insônia e rancor de menino traído pela mãe sem pudor.

Alfredinho, mais culto que Bené, nos decifrou as figuras do livro de medicina legal que um amigo roubou do pai advogado e levou para a furtiva luz amarela do pipoqueiro, na noite da Urca. Ali, na luz do carbureto, víamos os corpos brancos dos mortos nus, da mulher de seios arrancados, do "viado" que se matou com o fio da tomada no ânus carbonizado, do homem de saco gigantesco e, supremo trauma infantil, a foto do hermafrodita, com a tarja negra sobre os olhos, sorrindo tristemente sobre seu duplo sexo pendurado. E foi ali, na luz febril do carbureto, que eu fui estimulado a tentar minha primeira conquista, a de Angelita, menina pálida, filha de um espanhol da padaria, que me fitava sempre com olheiras negras, segurando a sainha suja. Estimulado por Alfredinho e Bené, tomei coragem e, uma tarde, dentro do sótão de sua casa, entre baús e roupas velhas, trocamos cuspe dentro da boca um do outro e me permiti tocá-la sob a calcinha, cheirando depois os dedos que, até hoje, me trazem de volta um olor tênue e úmido, um visgo de seiva de planta que (eu senti) era o primeiro sinal de uma viagem pelo amor e pela carne do mundo — doce ou salgado — que me esperava. Para Bené e Alfredinho, claro, falei de grandes gestos viris, e nada disso sobre as lágrimas de Angelita e de meu pavor do manequim me olhando, nem da fuga pela escada poeirenta sob a voz do espanhol, nem que Angelita nunca mais me fitou com seus olhos tristes. Usei bravamente apenas os palavrões que aprendera com eles, sentindo já em meu lábio o tremor de um bigodinho viril, como o do Bené.

* * *

Hoje, a masturbação não tem a importância que teve no meu passado profundo. Esse exercício de imaginação criadora muito contribuiu para a literatura nacional, estimulando nos jovens a capacidade narrativa, a análise psicológica, a dramaturgia, em vez do mundo das imagens de hoje. A masturbação hoje virou uma indústria virtual, com telefones "900", com vídeos pornôs, internet, em suma, a mais completa rede de estímulos interativos. Hoje a punhetinha é um luxo informático; no meu tempo, era uma necessidade de sobrevivência. Hoje é imagem; antes era literatura. Como tudo era proibido, o sujeito se refugiava na solidão do pecado, do vício solitário, como se dizia, sinistramente.

"Quantas vezes praticaste o vício solitário?", perguntavam os padres no confessionário. A expressão tinha uma tristeza doce e humilhante. Minha fé vacilava. Será possível que Deus estivesse tão preocupado assim com nossos pobres pintinhos? Eu rezava para ter fé. O padre-prefeito examinava minhas espinhas como um guarda de fronteira: "As espinhas aumentaram muito nas férias, hein?" Eu esfregava Lugolina na cara para esconder as brotoejas delatoras. "Você sabe por que o vício solitário é um pecado mortal?", perguntava o padre. "Porque cada vez que você o pratica são milhões ('milhõessss...', ele repetia) de seres humanos que poderiam nascer e que morrem na vala comum dos esgotos!" Minha culpa era total. Além de odiado por Deus, além da humilhação de ver as meninas passando intocadas com suas bundinhas lindas e seus pequenos seios, além de contemplar em desespero os primeiros biquínis na praia, eu era um assassino de milhões... Eu era um reles criminoso covarde que, além do mais, não comia ninguém. E continuei exterminando milhões de homens destruídos no banheiro. O padre Barros berrava no púlpito: "Tua alma vai para o inferno, queimar por toda a eternidade!..." Deus me parecia um sujeito violentíssimo, nos obrigando a sofrer para sempre, por nada. "Mas, padre, o cara passa uma vida santa. No último dia, antes de morrer, falta a uma missa. Vai para o inferno?"

"Por toda a eternidaaade...", ecoava o bom padre Barros, implacável. Aí, surgia a pergunta agnóstica, que acabava com a fé dos garotos: "Deus é infinitamente bom?", perguntávamos. "Sim, infinitamente..." "Ele sabe tudo o que vai acontecer?" "Sim...", respondia o padre, já desconfiado. "Então, se ele sabe que fulano vai pecar e vai para o inferno, para que ele cria o cara?" Nenhum padre me respondeu essa questão ateia até hoje. E minha fé resistia, mesmo assim. Eu me perdia em discussões metafísicas diante do mar, já que as mulatas do Rio não eram para meus beiços.

Um dia, chegou ao colégio um padre "moderno", "prafrentex", como diziam. Esperança. O padre falava uns palavrões, falava em esperma, masturbação. Era jovem e forte (muito anos depois, vi-o sem batina, vagando pelo Posto Seis), jogava futebol conosco, brigava. Ótimo, minha fé se fortaleceu; era possível um Deus mais democrático, como o padre que jogava pingue-pongue.

Até que um dia o padre (nos falava de livros, filmes) nos contou uma das histórias cristãs mais belas (a seu ver) sobre a sexualidade juvenil. Tínhamos o quê? Uns 13 anos.

Era a história de um rapaz escoteiro virgem de 18 anos, forte e bonito (o nome do livro francês era, creio, *Estrela da manhã*), que estava acampado no Havaí. Uma tarde, ele sai a cavalo pelas praias desertas, galopando, feliz em sua castidade. Aí, resolve parar na areia branca, para descansar. Eis que... (ouvíamos em suspense)... Surge uma linda mulher havaiana, seminua, vestida apenas com uma saia de palha, coberta de flores (o padre caprichava nos detalhes), que se aproxima do nosso herói virgem na areia e começa a dançar a hula-hula, ali, diante dele, sorrindo e oferecendo-lhe os seios nus. Ouvíamos sem ar, constelados de espinhas.

Eis que nosso herói fica fascinado pela linda havaiana que dançava e vai ficando febril, amolecendo como num sonho (nossa esperança aumentava). Até que a moça morena e cheia de curvas chega bem perto dele e lhe oferece os lábios carnudos e vermelhos. Tiritávamos de emoção.

"Foi então que se deu o milagre!", berrou o padre, eufórico. "Nosso herói, à beira do colapso, reuniu suas últimas forças e, rezando entre os dentes, pulou no cavalo e saiu galopando e chorando para longe da linda havaiana. E continuou puro e sem pecado", bramia o padre. "Ele foi forte e venceu a tentação!" O silêncio foi brutal e desesperado. Dava para se ouvir a indignação e o ateísmo, lavrando como fogo entre os alunos solitários em seus vícios. E foi assim. Minha fé morreu ali, naquela sala de aula jesuíta, no fundo dos anos 50.

* * *

Meu pai foi um mistério em minha vida; não nos comunicávamos bem, inibidos um com o outro. Meu pai era o perigo de castigos, o Supremo Tribunal que julgava meus erros. Por isso, ao escrever, sinto seu olhar por cima de meu ombro. Sempre quis ser aprovado por ele, receber um elogio, um beijo espontâneo que nunca vinha. Ele parecia saber de algum crime que eu cometera, mas não dizia qual era. Eu sofria: "O que foi que eu fiz?"

Meu pai não ria, como se o riso fosse um luxo, mas eu me empolgava quando ele chegava num avião de combate, coberto de dragonas douradas no uniforme da Aeronáutica, ele, meu herói que conquistara o pico do Papagaio como jovem alpinista e que fazia acrobacias de cabeça para baixo nos aviõezinhos do Correio Aéreo. Quando peguei coqueluche, ele me levou num avião bimotor a 4 mil metros de altura, pois diziam que isso curava a tosse renitente. O avião subiu com meu pai pilotando, um sargento e minha mãe num casaco de pele com o cabelo preso num coque alto chamado "bomba atômica", cruel homenagem da moda à destruição de Hiroshima. De repente, a porta do avião se abriu e eu teria sido chupado para fora não fosse a rápida ação do sargento. Até hoje, não sei se isso realmente aconteceu, mas meu pai sempre me trouxe fantasias de extinção. Ele era um árabe alto, nariz de águia, bigodinho ralo, cabelo luzente de Glostora, óculos Ray-Ban, sapatos de borracha da Polar. Hoje, entendo que ele queria fazer de mim um homem pela severidade implacável, pelos silêncios indecifrados, pelos olhares acusadores (de quê, Deus?). Hoje sei que ele queria de mim um homem, dando-me um exemplo de espartana resistência, de chorar sem lágrimas. Claro que virei artista, claro que enquanto ele me deu um livro nunca aberto sobre mineração de carvão eu ia ler Rimbaud e escrever poesias. Minha vida foi se pautando para ser tudo aquilo que ele não era — uma maneira de obedecê-lo em revolta, de competir com ele sem arriscar a castração, o pau cortado. Ele era moralista? Eu defendia sacanagens e palavrões. Ele era da UDN? Entrei para o PCB aos 18 anos.

Então, comecei a despertá-lo da letargia desatenta a mim, provocando-o, esculhambando americanos e militares, culpando a Aeronáutica pelo suicídio do Getúlio. Aí, conseguia berros à mesa de jantar, com minha mãe pálida sussurrando: "Olha os vizinhos!" Isso era uma forma de tê-lo vivo diante de mim. Queriam-me diplomata? Ah... Hoje eu poderia ser um pobre itamarateca alcoólatra... Fui ser nada, maluco, comuna da UNE; depois, por acaso, acabei cineasta... O tempo foi passando. Papai aposentou-se cedo demais e aquele projeto de "picos de papagaio", de aviões em parafusos, de um heroísmo guerreiro virou um silêncio aterrador no apartamentozinho de Copacabana, onde o tempo parecia parar. Entre as poltronas dos anos 40, entre os vasos de flores de minha mãe, a presença de meu pai era quase abstrata, lendo revistas, vendo TV de tarde, de pijama, em meio a minhas visitas, quando eu tentava alguma coisa que mudasse aquela paralítica tragédia, aquele relógio do avô que batia o pêndulo em vão. Todos os dias eram iguais; só minha mãe mudava, cada vez mais perto da senilidade, visitando a médium "linha branca" que lhe dava conselhos com voz grossa de caboclo. Eu queria que alguma coisa acontecesse, queria vê-los dentro da vida da cidade, mas só saíam para comer num sinistro restaurante a quilo, de fórmica rosa e amarela.

Um dia, nasceu-me a primeira filha. Foi um momento de vida e luz, mas, logo depois, meu pai caiu doente, com uma enigmática infecção pulmonar, que não passava. Médicos se sucediam: tuberculose, enfisema? O quê? Foi uma revolução cultural no apartamentinho de Copacabana: aquele rei silencioso, de repente, estava caído no divã, cuspinhando, febre permanente. Então, a força estava fraca? O pai virara filho? Minha mãe pirou mais ainda, sem saber lidar com tanto poder que ganhara, tanta liberdade súbita. Eu também estranhava aquele titã caído.

Um dia, o médico decretou: "Está muito anêmico... Precisa de transfusão de sangue." Fui levá-lo à Casa de Saúde São José, onde minha primeira filha tinha nascido, pouco antes. Deixei meu pai na cama de um quarto, com a bolsa de sangue pingando-lhe nas veias e, para evitar o silêncio triste diante da lenta transfusão, saí pelos corredores, para dar uma volta sem rumo. De repente, ouço dois tiros. Sim, dois tiros de revólver. E foi aí que minha vida começou a mudar.

Pela porta do quarto ao lado, olho e vejo dois homens caídos no chão branco de fórmica, boiando em duas imensas poças de sangue. Um já estava morto e o outro agonizava de boca aberta, um soluço com um assobio assustador, como um peixe morrendo fora d'água. Enfermeiros acorreram e eu soube que tinha sido um crime passional. Um médico matara o outro e suicidara-se em seguida. Nada mais fora de lugar que um assassinato no hospital.

Tudo se juntava, meus fantasmas acorriam todos, num clímax de vida e morte. Vi, espantado, que um deles era o ginecologista que tratava de minha mãe e que estava ali, boiando no próprio sangue no hospital onde acabara de nascer minha filha. A transfusão acabou, as ambulâncias levaram os corpos e ficamos eu e meu pai assustados, sozinhos ali no quarto. O mundo tinha mudado. Então, não sei por que, comecei a sentir um imenso carinho por meu pai, ali, fraquinho, cabelo branco. Ajudei-o a se arrumar, fechei-lhe o paletó e voltamos para casa, como cúmplices mudos de um crime, de um jorro de morte que destruiu nossa melancolia e nos uniu de uma forma misteriosa. Nunca entendi bem o que aconteceu, mas só sei que não houve mais silêncios tristes entre nós dois.

* * *

Este texto é sobre ninguém. Meu avô não foi ninguém. No entanto, que grande homem ele foi para mim. Meu pai era severo e triste, mal o via, chegava de aviões de guerra e nem me olhava. Meu avô, não. Me pegava pela mão e me levava para o Jockey, para ver os cavalinhos. Foi uma figura masculina carinhosa em minha vida. Se não fosse ele, talvez eu estivesse hoje cantando boleros no Crazy Love, com o codinome Neide Suely.

Meu avô, Arnaldo Hess, foi um belo retrato do Brasil dos anos 40/50. Era um malandro carioca — em volta dele, gravitavam o botequim, a gravata com alfinete de pérola, o sapato bicolor, o cabelo com Gumex, o chapéu-palheta, o relógio de corrente, seu Patek Philippe tão invejado, em volta dele ressoava a língua carioca mais pura e linda, com velhas gírias ("Essa matula do Flamengo é turuna!"...).

Meu avô era orgulhoso de viver nesta cidade baldia e amada, o Rio que soava nos discos de 78 rpm, nas ondas do rádio, o Rio precário e poético, dos esfomeados malandros da Lapa, das mulheres sem malho e de seus sofrimentos românticos, entre varizes e celulite. Antes de morrer, ele me olhou, já meio lelé, e disse a frase mais linda: "É chato morrer, seu Arnaldinho, porque eu nunca mais vou à avenida Rio Branco." Ali, onde ele me levava para tomar refresco na Casa Simpatia, era o centro de seu mundo. Os políticos canalhas populistas que estão hoje aí querem a volta do passado apenas pelo lado "sujo" do atraso. Mas havia também uma poética do atraso — na Lapa, no Mangue, havia um Rio que, com poucas migalhas, fabricava uma urbanidade pobre, bela e democrática.

Ele também me dava aulas de sexo. Contou-me uma vez que a melhor mulher que ele teve na vida tinha sido uma "joão". Que era "joão"? Esse termo, ainda escravista, designava as pretinhas tão pretinhas que tinham o pixaim da cabeça ralo, quase carecas. Eram as "joão". Pois ele me disse: "Foi no terreno baldio, ali na General Belfort; foi o melhor *nick fostene* que eu tive..." (Inventara esse nome de falso inglês de cinema americano para designar a cópula, sendo a palavra acompanhada pelo gesto vaivém de bomba de "Flit": Nick Fostene...) Contava isso a um menino de 10 anos, a quem ele dava cigarros e ensinava (a mim e ao Claudio Acylino, meu primo) a pegar bonde no estribo, andando. Apresentou-me sua amante, uma mulher ruiva chamada Celeste, que me beijava trêmula e carente como uma avó postiça e que, sendo de "boa família" (ele me falava disso com uma ponta de orgulho e gratidão), "nunca se metera em sua vida familiar". Ou seja, ele me ensinava tudo errado e com isso me salvou. Quase analfabeto, vivera grudado com a turma dos intelectuais da Colombo, babando com os trocadilhos de Emílio de Meneses, Olavo Bilac, Agripino Grieco nos anos 20, o que lhe deu um fascinado amor às letras que não lia, mas que o fez trazer-me sempre um livro novo da avenida Rio Branco, junto com a goiabada cascão e o catupiry. Uma vez, já mais tarde, eu namorava uma moça lindíssima e virgem (claro), mas burrinha. Reclamei com ele. Resposta: "Ah, é burrinha? Você quer inteligência? Então vai namorar o San Tiago Dantas!"

Quando fomos aos sinistros *rendez-vous*, de onde nos floresceram as primeiras gonorreias, os pais severos bronquearam:

"Vocês são uns porcos!" Já nosso vovô riu, sacaneando: "Poxa... Boas mulheres, hein...?"

Vovô nos ensinava a conversar com as pessoas, olho no olho. Na minha família de classe média, celebravam-se as meias-palavras, o fingimento de uma elegância falsa, de uma finesse irreal. Só meu avô falava com os vagabundos da rua, com os botequineiros, com os mata-mosquitos. Enquanto minha família toda votava histericamente na UDN, em pleno delírio golpista, meu avô pegou o chapéu, e foi votar. Eu fui atrás dele... "Votar em quem?"

"No Getúlio, seu Arnaldinho... Ele gosta do povo e eu sou povo."

"E eu sou 'povo' também, vovô?", perguntei. Ele riu: "Você não; você tem velocípede..."

Ele me levava ao Maracanã, me levava em seu ombro para ver a estrela de neon da cervejaria Princesa (até hoje me brilha essa supernova na alma), ele, uma vez, deixou-me ver um morto na calçada, navalhado no peito ("Parecia a fita do Vasco da Gama", ele disse) — não me escondeu a tragédia. Ensinou-me tudo errado e me salvou...

Meu avô adorava a vida e usava sempre o adjetivo "esplêndido", tão lindo e estrelado. A laranja chupada na feira estava "esplêndida", a jabuticaba, a manga-carlotinha, tudo era "esplêndido" para ele, pobrezinho, que nunca viu nada; sua única viagem foi de trem a Curitiba, de onde trouxe mudas de pinheiros. "Esplêndidas..."

No fim da vida, já gagá, eu o levava ao Jockey para ele conversar com o Ernani de Freitas, o amigo tratador de cavalos, que lhe dava um carinho condescendente com sua gagazice, falando de cavalos que já haviam morrido. "Hoje corre a Tirolesa ou a Garbosa?", perguntava. "A Tirolesa está machucada, Arnaldo..."

Velho gagá, deu para dizer coisas profundíssimas. Uma vez, já nos anos 70, celebrei para ele as maravilhas lisérgicas do LSD que eu tomara. Ele me ouviu falar em "delírio de cores", "*Lucy in the sky*", e comentou: "Cuidado, Arnaldinho, pois nada é só bom..." Outra vez, vendo passar um super-ripongão sujo, "bicho-grilo brabo", comentou: "Olha lá. Um sujeito fingindo de mendigo para esconder que realmente é...!"

Há dois anos, na exumação de um parente, o coveiro colocou várias caixas de ossos em cima do túmulo. Numa delas, estava escrito a giz: "Arnaldo Hess". Não resisti e levantei de leve a tampa de zinco. Estavam lá os ossos de vovô. Vi um fêmur, tíbias, que eu toquei com a mão. Vocês não imaginam a infinita alegria de, por segundos, encostar em meu avô querido. Eu estava com ele de novo em 1952, sob o céu azul do Rio. Meu avô não era ninguém. Mas nunca houve ninguém como ele.

* * *

Dona Marieta usava sapatos altíssimos e vermelhos, de onde saíam pernas magras e tortas. Pintava-se muito — o batom emplastrado como uma ferida entre rugas que escorriam em seu rosto de 80 anos, encimado por sobrancelhas feitas a lápis e olhos com sombra azul.

Ela e sua filha mudaram-se para o térreo de nosso prédio. A primeira coisa que fizeram foi derrubar o grande flamboyant plantado no jardim do seu apartamento que nos brindava com chuvas de flores vermelhas. Eu vi, horrorizado, a queda da árvore tão linda, deixando apenas o cimento frio como uma lápide. Com elas, veio o neto e filho, Antonio Augusto, da mesma idade que eu e que elas tratavam como um bibelô precioso, contando suas graças para minha mãe — de como ele gostava de brincar de "mulher grávida" com um travesseiro na barriga. Elas eram donas do menino, obrigando-o a estudar piano, o que enchia as manhãs com escalas sem fim. Eu era seu único amigo, pois os garotos da escola estranhavam sua fragilidade, seus cabelos encaracolados. A mãe e a avó "sirigaita" cuidavam do Antonio Augusto com protecionismo feroz e pareciam se vingar de alguma coisa passada.

A inexistência do pai tinha sido banida dos domínios de dona Marieta e sua filha, sob a desculpa de que era caixeiro-viajante. "Nada disso", minha mãe diagnosticou, "são separados, e elas têm vergonha e escondem...".

Seu Plácido era o nome do pai, que vinha, sim, tímido, quase invisível, e ficava brincando com o filho, no ex-jardim cimentado que ele olhava com muda tristeza. Ele parecia gostar muito do filho único que, eu percebia, demonstrava uma inquietude constrangida ao conversar com o pai, como se estivesse desobedecendo alguma ordem. Seu Plácido entrava raramente no apartamento para entregar o dinheiro da pensão e, talvez, para exibir à vizinhança uma aparente "normalidade".

Depois, ia embora ou, para irritação da avó de olhos duros na janela, levava o menino até o botequim onde tomava silenciosamente um copo de leite e dava um guaraná para o filho. Essa rotina durou vários anos até nossa adolescência, quando já era evidente o desgosto de seu Plácido pela fragilidade feminina de Antonio Augusto.

O mundinho em que eu vivia era vazio, mas tinha alguns habitantes, ao contrário de hoje — um vazio que parece cheio. Tinha dona Elsa, linda, que morreu de câncer fulminante, tinha o médico espírita de cara vermelha e todo vestido de negro, tinha o paralítico que ouvia jazz muito alto.

E tinha Miss Baby. Ela devia ter uns 40 anos, ainda bonita, grande, e se movia diferentemente das outras mulheres da rua. Andava com a leveza corajosa de mulheres vividas, ela, ex-vedete do Cassino da Urca. Morava sozinha e, de tempos em tempos, aparecia um visitante com uniforme da Panair. As vizinhas evitavam-na, porque ela destoava da paisagem moral do bairro. Miss Baby vivia na varanda com um penhoar solto, pelo qual se entreviam seios firmes. Ela nos fascinava pela sua liberdade, seu mundo diferente das mães da rua. Uma tarde, vi que seu Plácido passou em sua porta e conversou com ela, com a tranquilidade de velhos amigos. Teria ele conhecido Miss Baby nos bons tempos do cassino?

Nessa época, eu e Antonio Augusto conversávamos muito à noite, na metafísica de adolescentes virgens na beira do mar que batia nas pedras povoadas de caranguejos. Éramos apaixonados por literatura — ele mais que eu —, falando sobre o rock que surgia e atrizes americanas que ele colava no espelho. Lembro-me do espanto pela poesia mágica, quando descobrimos Rimbaud. Sob uma noite muito estrelada ele me falou: "O 'nada' não existe. É ilógico; sobre o 'nada' não se fala..." Nós não sabíamos quem éramos, mas já falávamos do universo.

Um dia ele me procurou excitadíssimo:

"Papai me disse ontem que a Miss Baby quer me conhecer; eu fiquei com medo e disse que mamãe não queria que eu nem olhasse para ela. Aí, papai me agarrou pelos ombros e me avisou que ela está me esperando amanhã de tarde. E, me sacudindo com força, proibiu-me de falar para mamãe e vovó..." Nos olhos de seu Plácido, ele viu que teria de ir.

No dia seguinte, preparou-se com zelo para o temido encontro — tomou um longo banho, raspou a levíssima penugem de seu rosto, escolheu camisas, inventou um penteado mais para Elvis Presley e foi. Achei que ele perderia a virgindade antes de mim.

"E aí?", perguntei ansioso, quando ele voltou de noite.

E ele contou que chegou morrendo de medo quando ela abriu a porta, mas que ela foi muito bacana e falou que papai tinha dito a ela que eu queria conhecê-la e aí eu entrei e ela ficou olhando para mim com um sorriso simpático, chegou perto e fez uma festa no meu cabelo, dizendo que era lindo e desmanchou meu topete de Elvis e aí ela perguntou se eu achava seus seios bonitos e aí ela abriu o penhoar um pouco e ficou me olhando e perguntou se eu queria pôr a mão neles.

"E aí?", perguntei sem ar.

"Aí, eu segurei os seios dela e ela ficou rindo da minha falta de jeito. A casa é cheia de retratos dela no cassino, cantando, e tinha também na prateleira um lindo arranjo de cabeça, um chapéu todo de flores e fitas e, aí, ela pôs outro arranjo na cabeça e perguntou se eu queria experimentar aquele. Foi o máximo; eu e ela cobertos de plumas, fizemos um dueto lindo. A gente cantou: 'Taí, eu fiz tudo pra você gostar de mim', imitando a Carmen Miranda. Foi o máximo!"

"E aí? Depois...", eu perguntei perplexo.

"Depois, nada. Ela me abraçou muito, com os olhos cheios d'água, e me deu um presente..."

"Só isso?"

"É... Me deu esse presente aqui."

Ele abriu a camisa e me mostrou um colarzinho de pérolas baratas. Ele tinha mudado. Seu rosto estava sério, de quem tinha entendido uma coisa nova. Olhamo-nos em silêncio. Ele sorriu e me tocou no ombro, amigável e mais adulto. Era feliz.

Naquele ano, minha família mudou-se para Copacabana. Falamos por telefone algumas vezes, mas, aos poucos, sumimos um do outro. Fui tocando minha vida e, anos depois, soube que Antonio Augusto fora encontrado morto, em circunstâncias mal esclarecidas.

* * *

Na época em que sexo era um crime secreto, o Cabeção, mais velho e mais forte do que eu, possuidor de revistas de sacanagem de Carlos Zéfiro, me entronizou no salutar esporte do concurso de masturbação. Ganhava quem gozasse primeiro, tendo o Cabeção atingido marcas memoráveis de apenas 55 segundos naquele treinamento para futuras ejaculações precoces.

Carlos Zéfiro foi o grande desenhista das revistinhas de sacanagem art déco, com estrutura narrativa do cinema dos anos 50, o que muito me ensinou sobre as técnicas de conquistar mulheres, como a do "consertador de rádio e a madame fogosa", do "patrão e da secretária safada no escritório". De um lado, tínhamos Zéfiro nos mandando pecar e, do outro, o famoso livro de Fritz Khan, *Nossa vida sexual,* nos explicando a higiene da reprodução humana, o que era a vagina, o saco escrotal e a próstata. Minha vida sexual balançava entre o crime e a medicina.

Bené, o pipoqueiro, e Alfredinho, o aleijado, acompanhavam minha carreira de aprendiz com desvelo e me convenceram a tocar pela primeira vez o corpo de Ziza, a empregada que veio da roça, menina de seus 18 anos diante de meus 13, logo apontada pelo Alfredinho como gostosa, atributo que fazia meu pai lançar olhares cúpidos (eu via, via...) para a fresta em seu uniforme de brim azul, por onde se viam coxas rosadas, as quais acariciei em seu quartinho, um dia em que minha mãe saíra com minha irmã para a aula de piano de dona Alcione.

Começou então para mim, nas manhãs de terças e quintas-feiras, a mais ardente fase de excitação que já conheci, quando a porta de casa batia e eu me atirava ao quarto de Ziza que, num espontâneo jogo de amor "coquete", se recusava a tudo o que eu pedia (mas sempre deixando um pouco), pois, sendo ela também virgem e empregada, tinha razões morais e sociais a defender, o que não impedia que suas faces ficassem mais vermelhas à medida que eu desabotoava seu uniforme, de onde saltavam seios tão grandes quanto os das mulheres de Zéfiro, que eu via à luz da carrocinha de Bené e Alfredinho. A eles, eu contava dos meus amores matinais, das minhas dores nos rins, pois Ziza jamais deixava-me terminar, fugindo depois de algum tempo, com medo da volta de minha mãe, o que me fazia correr para o banheiro e perpetrar recordes mundiais de jatos de sêmen, atingindo níveis espantosos de altura (até para admiração de Bené e Alfredinho), quando vi nações inteiras se liquefazerem na parede de azulejos, atingindo marcas que faziam corar de inveja o Cabeção, em que pese sua grande rapidez ejaculatória, ficando ele, portanto, com o recorde de velocidade e eu com o de altitude.

Depois que Ziza foi despedida por minha mãe (pelos olhos de papai à mesa?) criei asas para tentar mais alto a suprema conquista — a perda da virgindade —, pois, além dos amassos com Ziza, eu nunca tinha tido o que doutor Fritz Kahn chamava clinicamente de "intercurso físico".

Eu vagava com minha virgindade pelas ruas, na fria fase dos 14 anos, mas já protegia minha privacidade dos curiosos Bené e Alfredinho e respondia com evasivas a seus inquéritos, principalmente do Alfredinho, menos confiável com seus "racontos" inverossímeis, como, por exemplo, o da americana loura da embaixada que rebolava pelada o "Rock around the clock", enquanto ele, também nu, dançava animado entre suas muletinhas.

Por isso, nunca lhes contei que, uma tarde, na Praça do Lido, surgiu uma mulher (juro, por minha fé) absolutamente "espetacular", como dizíamos. Ela me abordou e eu, sem ar, vi que ela sorria e "me dava bola", naquela tarde cinzenta.

Eu tremia quando ela me convidou para ir a seu apartamento. Não exagero ao dizer-vos que a moça era mais ou menos do tope de uma Gisele Bündchen, alta, linda e (me disse ela) manequim da Casa Canadá, que desfilava os famosos tecidos Bangu.

Fui pelo elevador até seu conjugado dentro de uma vertigem em que só um pensamento me habitava: "Vou deixar de ser virgem!"

Não me lembro de seu nome, nada. Só me lembro de sua voracidade ao beijar-me no elevador, mostrando-me os seios, o que me fazia pensar "eu não mereço, eu não mereço...", antecipando o que eu contaria para Bené, Alfredinho e Cabeção. No apartamento, talvez percebendo que eu era um pobre virgem, ela entrou num rodopio de beijos e desnudamentos que só eram interrompidos (oh... desgraça!) por rosnados e latidinhos esganiçados de seu cachorrinho bassê, que ferrou os dentes na barra da calça que ela tentava desabotoar (seu nome era "Joly"). A mulher, já seminua, jogou o cachorrinho dentro do banheiro, de onde ele ficou gemendo e arranhando a porta, tão ansioso quanto o meu pobre pintinho, que, numa reversão de turbinas, virou uma florzinha abandonada, mesmo eu pensando em Ziza e seus abraços, mesmo eu sentindo a responsabilidade de honrar Bené e Alfredinho, mesmo eu pensando em Zéfiro e em humilhar o Cabeção.

Depois de tentar tudo para me desinibir, sob os uivos de "Joly" que não paravam, só me lembro da moça dizendo, irada: "Mas, afinal, o que é isso na minha boca? Chiclete?"

Fui arrojado porta afora sem piedade para meu fracasso, sob os latidos alegres do cachorrinho. Dali, fugi numa febre tonta levando minha virgindade intacta até a carrocinha do Bené, que me olhou desconfiado na luz amarela.

Não tive coragem de mentir, mas não contei nada, enquanto os dois ouviam no rádio Vasco x Bangu, clássico da época. Encostei-me na carrocinha para sentir um pouco de calor da pipoca que saltava. Minha virgindade ainda ia durar.

* * *

Nas sombras daquele colégio secular, tremia um desejo torto que se adivinhava nas luzes mortiças, nos sinos batendo. De dia, os padres olhavam as mães dos alunos vestidas como as atrizes do cinema, muito pintadas e de cabelos altos, imitando Ava Gardner ou Lana Turner e, de noite, se recolhiam às tristes clausuras. A sexualidade pulsante era reprimida por todos os lados, matada a rosários, a panos roxos, a velas, na fumaça dos turíbulos. Mas o desejo escapava pelas frestas, recalcando-se nos banheiros e se entortando em amores do mesmo sexo.

Eu tinha um colega cujo nome era Getulio (por que esse nome político?) e que foi encontrado no fundo do vestiário com um outro garoto mais velho e capitão de futebol. Daí, o grande escândalo que se formou (e logo se apagou) em torno de Getulio, sufocado com presteza pelos padres, por ser o menino de família rica e generosa contribuinte para as campanhas religiosas.

Depois de uma missa num domingo azul tomado de cigarras, vi uma cena de inesquecível crueldade, quando o meu colega foi vaiado por uns trezentos alunos aos gritos e risos, pulando pelos pátios atrás dele aos berros de "Getulio! Getulio!". O pobre acusado fugia em todas as direções, até que eu o ajudei a se enfiar numa sala onde se trancou, vindo logo os padres em seu socorro, brandindo castigos aos manifestantes. Não me esqueço dos seus olhos abertos de pavor, tossindo muito, vermelho, enrolando as palavras num murmúrio confuso, como que rezando.

Getulio ficou meu amigo, se bem que sua amizade vinha misturada a um certo rancor por minha solidariedade. Seu afeto era custoso, dolorido, confuso, o que lhe fazia me agradecer simbolicamente com ajuda nos estudos, na época das provas finais. Getulio era bom aluno e riquíssimo; sua casa, um palácio em Copacabana, com sala de mármore, lustres de cristal e "persas" imensos. Sua mãe era diferente das outras. Não ficava palrando com os padrecos jovens nem se pintava muito, não usava coques bomba--atômica nem saias justas.

Eu a via no interior da negra limusine com chofer, de óculos escuros e cabelos negros em volta do rosto muito branco. Era altíssima e usava uns tailleurs, como de luto. "Seu pai morreu?", perguntávamos. "Não", respondia Getulio, "está viajando".

Nas provas finais, estudávamos as noites inteiras sem dormir, à custa de uma bolinha chamada Dexamil — drágeas azuis que acendiam a alma como cocaína. Falávamos sem parar, numa nervosidade que ia decaindo pela noite até a depressão da madrugada.

Uma noite, Getulio afundou dormindo no sofá, na véspera da prova de química, quando o céu já arroxeava. Sacudi-o fortemente, mas ele não acordou. As portas de cristal e bronze estavam trancadas sem chave. Saí andando pela casa de dois andares, em busca de saída.

Foi quando tudo começou a flutuar num mistério, pois, no alto da escada de mármore, apareceu a mãe do meu colega.

Seus cabelos estavam soltos e ela usava uma camisola branca que parecia um vestido de baile. Tudo se movia em volta de mim, à medida que eu subia a escada, pois ela me chamara sorrindo, perguntando onde estava o filho que (disse-lhe eu) dormia. "E você não dorme?", perguntou-me. Não sei se era efeito do Dexamil, mas tudo parecia de uma lentidão impossível, quase em câmera lenta. Ela saiu andando pelo corredor e eu a segui sem saber por quê. Ela oscilava de leve, como tonta. "Vou pegar a chave da porta", me disse, indo para seu quarto, onde também entrei, pisando numa incrível pele de urso branco no chão que me mostrava os dentes. Eu me via naquela casa, de fora, como um personagem de meus próprios sonhos.

"Espera aí", me disse.

Fiquei parado no meio do quarto e vi, pela porta entreaberta do banheiro, um labirinto de espelhos se rebatendo. E foi nesta fresta de banheiro que a mãe do Getulio apareceu refletida, tirando a camisola, ajeitando os cabelos. Ela entrava e saía do meu campo de visão, como num caleidoscópio, como um reflexo na água, demorando-se nua nos espelhos, multiplicada ao infinito. Eram mil mães que eu espiava, nuas, lindas — que atriz de cinema a lembraria? Talvez María Félix —, tremendo no escuro do quarto. A mulher saiu do banheiro num robe vermelho, onde se viam paisagens chinesas bordadas. Na minha lembrança, Bené e Alfredinho pareciam duas miniaturas lá longe, lá embaixo, pequenininhos, e eu, pairando no alto.

Então, a mãe-María Félix (ou Jane Russell?) veio andando e avançou para mim, de improviso, tratando-me como um bebê, dizendo que "era hora de eu ir dormir, que eu estava despenteado" — molhou meu cabelo, repartiu-o nervosamente e eu me vi refletido em mil meninos nebulosos diante daquela mulher imensa. Em seguida, espalhou um perfume em meu pescoço com gestos rápidos, deixando-me entrever os seios moventes dentro do robe e aí — espantoso lembrar isso — passou-me ruge no rosto ("Como está pálido!"...) e me fez uma pinta negra na face, com um lápis de maquiagem. "Agora está bonito, parece uma menina!" E me esfregou as mãos no peito e deu-me um beijo no ouvido, como uma sirene sem fim. Me lembro de seus grandes olhos molhados e sua grande boca. Obedeci como um sonâmbulo quando ela me deu a chave e sussurrou: "Acorda meu filho e vai."

Quando passei pelo Getulio, ele não dormia. Tinha os olhos muito abertos, sentado no sofá, me olhando. Saí na madrugada e fiquei esperando o ônibus, coberto de perfume francês, esfregando o rosto com cuspe. Eu nunca entendi o que aconteceu naquela noite, mas não estudei mais com Getulio.

* * *

Tudo era pecado nos anos 50. Havia duas correntes de teoria sexual: a do Bené, o pipoqueiro, e a de seu fiel assistente Alfredinho, o aleijado, que me ensinavam coisas cínicas como "toda mulher dá, menos as mal cantadas" ou "amor é coisa de 'viado'", ou então a outra corrente, em meio à fumaça de turíbulos, na missa do colégio, sobre os perigos do inferno para os que pecavam contra a castidade. O resultado disso é que eu dividi as mulheres em dois grupos; as "inatingíveis" e as "sem-vergonha". E desenvolvi um covarde romantismo: de longe, eu era um fauno e, de perto, um pierrô. Vivia de binóculo na casa de meu avô, olhando mulher nua nas janelas ou vendo filmes franceses em que os seios de Françoise Arnoul só perdiam para Maria Antonieta Pons, a rumbeira de coxas inefáveis que eu olhava do alto no cinema Alaska, em sôfregos pecados.

Por outro lado, as meninas que eu amava flutuavam diante de mim como anjos impossíveis. Simone era morena, linda, tinha um queixo com covinha e se recusava a dançar; Norma fez cara de nojo quando eu falei hollywoodianamente *I love you* e saiu contando para todo mundo; Márcia, a nadadora que depois morreu de leucemia, nem me olhava, porque era apaixonada pelos campeões do trampolim em saltos triplos e "anjos". Essas eu amava, sorvia-as como imagens de santas. Nos cinemas eu nem lhes encostava a mão, muito para a contrariedade de Bené e Alfredinho, que já me olhavam desconfiados, correndo eu o risco de sair da categoria de "babaca" para a terrível legião dos "viados", já que eu nunca pegava nos peitinhos de nenhuma, contrariamente a meu amigo Cabeção, que se gabava até de improváveis sodomias perpetradas em alunas do Colégio Jacobina.

"Vícios solitários" eram dedicados às outras, à grande Angelita Martinez que dançava na TV Tupi ou à Virginia Lane, na *Revista do Rádio.*

Meu pai era da Aeronáutica e, naquela época, a grande crise política pela morte do major Rubens Vaz estava no auge. "Mar de lama", "mar de lama" era o que se ouvia no rádio, na voz do Carlos Lacerda, na briga da UDN com o governo de Getúlio, centrada na república do Galeão, para onde meu pai ia de uniforme. "Mar de lama" me soava como o Mangue, me soava como o mundo que me atraía, era parecido com os pecados que eu queria cometer, como as histórias de Alfredinho, que contava da freira pecadora que ele afirmava comer desde o tempo da paralisia infantil no hospital.

Foi aí que apareceu a Daisy, que não era nem putinha nem santa. Nem mesmo o experiente Bené soube como classificá-la, quando ela chegou na carrocinha de sapato alto, muito pintada para a idade, mas séria, pedindo pipoca doce e cantando para si mesma o baião "Kalu", sucesso da famosa Dalva de Oliveira. Ela tinha os olhos grandes e separados, por cima de uma grande boca onde tremia um esgar de deboche ou um riso contido que às vezes aflorava sem motivo, como se ela conversasse com alguém dentro de si mesma.

Daisy morava sozinha com o pai, um médico triste e vermelho, apertado num terno negro, com pincenê pendente do bolso. Era viúvo e, diziam, espírita, e tratava de doentes ali na própria casa onde tinha consultório.

Daisy me siderou. Fiquei absolutamente apaixonado em segundos, a ponto de Bené me olhar com preocupação. Consegui me aproximar dela. Daisy tinha uma inquietude que eu nunca vira em ninguém.

Seu jeito de louca virava a vida real em reles cotidiano rasteiro, diferente do mundo misterioso que ela parecia habitar. Era mais velha do que eu e me dizia frases enigmáticas lidas em um diário de capa roxa cheio de recortes e desenhos, enquanto eu ficava afogado em seus olhos. "Este vestido é francês; era da minha mãe, etiqueta Jacques Fath, este leque era da minha avó que foi amante do senador..."

Um belo dia, ela me levou para sua casa escura onde o pai atendia doentes. Entrei por um corredor cheio de retratos de uma mesma mulher, sua mãe morta, que o pai mandara ampliar, desconsolado na viuvez de luto fechado.

A esses retratos, seguiam-se outras fotos de pessoas fora de foco, deitadas, sentadas, inatuais, com manchas estranhas como nuvens brancas saindo de suas bocas, pairando em volta de suas cabeças. "É o ectoplasma, a matéria da alma", me dizia Daisy, "o espírito delas fotografado por papai". A "alma" era um algodão branco.

Daisy, muito agitada e se encostando em mim, perguntou se eu já vira "espíritos" e disse que, se eu esperasse do lado de fora do consultório, eu teria uma "revelação do além". Fiquei no corredor escuro, olhado pelos retratos da mãe de Daisy, em muitas poses, ou triste ou sorrindo e (lembro-me) ao lado do pai, de tailleur e chapéu no Pão de Açúcar.

De repente, começou uma música dentro do consultório — se não me engano, era Francisco Alves: "... na carícia de um beijo". Entro de coração disparado. Na sala escura, Daisy estava deitada, entre velas, na mesa de consulta do pai, com o vestido da mãe aberto até a cintura, o busto nu, com os seios dourados pela luz e olhos fechados, fingindo não respirar. Eu sussurrava: "Daisy... acorda! Vem gente!..."

E foi assim que fomos surpreendidos por uma imensa gritaria das empregadas no corredor, que invadiram a sala, aos gritos de "O Getúlio se matou!!". Os rádios davam em edição extraordinária o suicídio de Getúlio, com um tiro no peito. "O presidente morreu!", gritavam. Surgiu uma preta chorando, a cozinheira soluçava no avental. Fugi correndo, sob a voz trágica do Repórter Esso. No dia seguinte, mesmo com o grande mar de povo passando diante do caixão de dr. Getúlio, eu só via o corpo branco de Daisy, flutuando sobre as multidões.

* * *

Eu andava em direção à praia quando veio a bofetada. Sem motivo algum, um menino meteu-me a mão na cara. Caí atordoado no chão, sem saber quem era o garoto e por que me agredira. Ele saiu andando e nem tive tempo de reagir. Até hoje sinto a dor de minha covardia.

Meu pai melhorara de vida e tínhamos mudado para a zona sul, na Urca. A zona sul era mágica, longe das casinhas tortas de porta e janela, de vilas e valas, de terrenos baldios onde pastavam cabras. Nos fins de semana, os pobres do subúrbio lotavam ônibus e enchiam a praia com uma massa de corpos pardos e desgraciosos, trazendo farnéis de piquenique, bolas de futebol para linhas de passe, tamborins para batucadas. Eram chamados de "saquaremas" pelos moradores desgostosos com os "invasores" farofeiros. Entendi a bofetada: eu era um "saquarema" naquela luta de classes entre zona norte e zona sul. Eu tinha o quê? Oito anos, talvez. Os meninos eram educados com castigos humilhantes, cascudos, surras de chinelo e bambu. "Assim se forjam homens", pensavam os pais, cultivando a "psicologia da brutalidade".

A severidade violenta era replicada na rua pelos meninos, em guerras de fortes contra fracos e, para isso, os saquaremas eram as vítimas perfeitas.

Cicero (filho de um cruel professor de latim) já fazia halteres aos 14 anos, Ceará era um sertanejo atarracado, corpo de chimpanzé, Acreano se vingava de seu destino de filho de empregada. Espancavam os saquaremas com chutes na cara, caldos violentos no mar.

Naquela violência havia uma pulsão de sexualidade, que decifrávamos com retalhos de estórias de sacanagem que vagabundos de rua nos ensinavam: doenças venéreas com nomes terríveis, cancro duro e cancro mole, gonorreia que gotejava sem cura entre os mais velhos. Lembro-me do pânico de minha mãe na praia quando pegamos "camisas de vênus" (o poético nome das "camisinhas") jogadas na areia, soprando-as como bolas de encher.

Já sabíamos tortamente da relação sexual:

"Sabia que sua mãe dá para o seu pai?!", berrava um garoto.

"Minha mãe, não!", protestava o outro.

"Não mete minha mãe no meio que eu meto no meio da sua mãe!", a briga ficava mortal nas beiras de sarjeta. "Dá sim, dá sim", insistia o outro apanhando. "Se for pela frente nasce mulher, se for por trás nasce homem!"

De noite, eu imaginava ruídos de amor no quarto de meus pais e, de manhã, minha mãe parecia-me uma pecadora, com o corpo nu sob a camisola.

As meninas viviam sempre longe. Andavam em grupos, cochichando, rindo muito, pois sabiam-se inquietantes para nós. Tudo o que vestiam era ocultação: maiôs inteiros, vestidos plissados e longos, sempre sob a vigilância dos pais, condenando-as a uma vida de "pureza", pois o supremo medo era serem consideradas "galinhas".

Elas se moviam em ondas, como um bailado; quando pulavam corda, os vestidos se abriam, suas pernas saltavam em câmera lenta e os rostos afogueados nos observavam em rapidíssimos olhares — flashes para captar o que sentíamos. Elas vigiavam nossa fascinação e seduziam-nos, afetando desinteresse, atraentes e intocáveis, sempre além de nossa fome, sempre além, mesmo meneando os quadris num bambolê ou ajeitando a meia "soquete" ajoelhadas, quando víamos de relance coxas que levavam ao grande mistério do corpo nu.

Os maiores, como Cicero, olhavam-nas sem ar, com uma fome diferente da nossa.

Isolados das meninas, imperava a caçada dos mais fortes aos "babacas", tribo da qual eu fazia parte, com o perigo de cair no gueto dos "viados", agarrados em banheiros, submetidos em cantos escuros de vilas e capinzais.

Cicero era o mais temido comedor de pequenos — ou agarrados à força ou submissos a seu prestígio de valentão.

Cicero tinha um irmão de nossa idade, apelidado de Grapete ("quem come Grapete, repete...") e uma irmãzinha de 5 anos, magra, branquinha.

Um dia, Grapete apareceu de olho roxo e com a boca e o nariz cobertos de esparadrapos. Fora pego no fundo da garagem com outro menino dentro do carro do pai. "Se der de novo, eu te mato..." — foi a sentença de morte de Cicero ao irmão, depois de espancá-lo como a um saquarema.

A partir daí, Grapete passou a ser visto com cruel deboche por todos nós. Ficou diferente, voz sumida, pelos cantos, um rosto menos infantil torcido de angústia.

Um dia, Grapete anunciou: "Hoje tem teatro lá em casa. Para assistir tem de pagar — dinheiro ou presente!" Era tão estranha a tristeza de Grapete que despertou nossa curiosidade. No sótão da casa, havia malas velhas, um sinistro manequim de gesso, pilhas de jornais e uma cortina dourada tapando uma porta. Grapete recolhia os "ingressos" com ar sério e nervoso, avaliando o valor: Balas Ruth, figurinhas do álbum de cantores de rádio, bolas de gude "olhinho" (as coloridas bolas americanas) e ioiôs importados da era Dutra. Olhávamos sem entender o que ia acontecer. O rosto de Grapete estava duro, assustador. Ele apagou a luz e foi até a cortina. "Agora, o grande show do circo Dudu!", anunciou com voz agressiva.

Quando abriu a cortina, surgiu a luz avermelhada da tarde que vinha de uma janela ao fundo. Em pé, imóvel, muito branca, inteiramente nua, a irmãzinha de Grapete e Cicero. Loura, pálida, parecia transparente na contraluz que invadia a poeira do sótão. Em seu corpo nu, olhávamos o triângulo perfeito do sexo, com um fino traço vertical no meio. A menina olhava para cima, fitando o céu, com uma aura dourada nos cabelos.

"Quem quiser encostar a mão tem de pagar mais!", sua voz era vingativa — um bruto mercador, o outrora frágil Grapete.

"Eu tenho a figurinha difícil do Albertinho Fortuna, da Rádio Nacional!", gritou um dos garotos. Grapete aceitou a rara figurinha e o garoto foi até a branca estátua viva. Devagar, chegou bem perto e encostou a mão na menina, cheirando depois o próprio dedo. A noite caiu e fui para casa com o coração disparado e uma nuvem de emoções inexplicáveis. Creio que foi a cena mais triste da minha infância.

* * *

Em uma noite ventosa que fazia silvar a luz lunar da carrocinha de pipocas de Bené, eu ouvi a palavra nova: "randevu". Alguns talvez não saibam que a palavra vinha do oblíquo francês *maison de rendez-vous* (casa de encontros), ou, em português mais clássico: bordel, lupanar ou prostíbulo. Senti que ali estava minha nova aventura. Naqueles tempos tristes, no "randevu" devia morar a verdade. Tudo o que me era escondido por pai, mãe e tias estaria visível, decifrado pela crueza do pecado. Havia pais que levavam os filhos para a primeira mulher, mas o meu, não. Se me oferecesse, eu teria recusado, pois me soava covarde ir pela mão do pai, como se vai a um médico ou dentista pela primeira vez.

Assim, fui ao primeiro randevu com meu amigo Cabeção, também virgem, deixando o Bené e o Alfredinho olhando-nos descrentes na carrocinha, nós dois, cabelinhos penteados com "Quina Petróleo", camisa nova dobrada na manga curta e pente no bolsinho. Eu não tinha um tostão, mas Cabeção tinha boa mesada, se bem que ele cruelmente logo me declarou que eu iria "só para olhar" e que se alguma mulher me quisesse "no amorzinho", tudo bem; senão, "azar o meu". Ali na rua Correa Dutra tinha um randevu. Na rua Pedro Américo tinha outro. Fomos na Correa Dutra. Hoje, os bordéis são "sauna relax for men" com nomes em neon tipo Crazy Love, cheios de vedetes de maiô de oncinha, mas, naquele tempo, o prostíbulo se envergonhava de sê-lo e se disfarçava de "casa de família".

Minha primeira surpresa ao subir tontamente as escadas foi encontrar uma grande sala de visitas, de assoalho encerado, quadros na parede e um silêncio espantoso. Não havia um sinal de sexo no ar, nem de alegria, nem música, nem artes do demônio. Em volta da grande sala em silêncio como num velório sem caixão, sentavam-se umas vinte mulheres de pernas cruzadas, olhando para um bando de otários de terno, bigodinhos, cabelos com Glostora, amontoados na porta do corredor. Eram os fregueses, travados em constrangimento, com olhares galantes para as mulheres que esperavam como numa antessala de dentista. De vez em quando, um sujeitinho se adiantava mais num galeio pela sala e fazia um sinalzinho disfarçado em direção a uma mulher sentada. A mulher se erguia com visível enfado como para um sacrifício (seu "mau humor" era uma homenagem à virtude perdida) e ia subindo a escada com o sujeitinho atrás. Eu e o Cabeção olhávamos para cima e víamos o casal, com a mulher de vestido justo "tomara que caia" rebolando profissionalmente. Lá em cima é que acontecia tudo, pensávamos, imaginando o célebre salão de espelhos. O clima era de tensão como numa delegacia.

A vida pecaminosa só florescia na triunfante figura de todos os puteirinhos da época: o "viado", o "pau para toda obra" dos bordéis, o faxineiro, o conselheiro, o guardião das mulheres. O "viado" de bordel, estranhamente, fazia um tipo coquete, sério, como se fosse uma mocinha virtuosa no meio das "decaídas". Olhava com desprezo os bofes frequentadores e "não dava confiança para gozadores", sempre com a língua afiadinha para uma resposta: "Eu, hein, Rosa? Sai pra lá, cafajeste! Eu, graças a Deus, sou pobre, mas tive boa educação." O "viado" de bordel era um pouco a mãe daquele lar. Uma mãe zelosa, catando sua felicidade entre vasos sujos e papel higiênico nos quartos. O "viado" passou, atirando-nos a língua aguda: "Chiii!... Hoje isto está um jardim de infância... Santa Maria!"

A gargalhada do "viado" e dos bofes próximos queimou os brios do Cabeção, que, com o dinheiro do pai no bolso e num requebro que imitava o toque de Bené no cabelo lustroso, chamou uma moreninha com cara de índia paraense. A moça se ergueu e passou ao meu lado. Sem ar, vi o Cabeção subir as escadas com ela, me jogando um olhar de triunfo.

Fiquei ali embaixo, sem um tostão, esperando o Cabeção perder sua virgindade lá em cima. Senti-me desamparado sem ele, mas tive um surto de excitação pelas mulheres sentadas na sala, um ímpeto narcísico que me fez aparecer à frente do grupinho de otários atravancando o corredor. As mulheres notaram minha súbita *allure* e começaram a me enviar sorrisinhos e piscadas de olhos, para o "fogoso rapaz" que aparecera. Mas cada sorriso e piscadela me doíam fundo, fazendo mais vazio meu bolso, onde estavam as moedinhas do ônibus, o que logo desmanchou minha pose, fazendo-me remergulhar no anonimato, entre os rapazes de terno... (ia-se ao puteiro de terno!...).

Foi quando uma das moças, uma lourinha magrela de vestido saco, se enrabichou por mim. Levantou-se, passou faceira a meu lado e sumiu nos fundos da casa, sorrindo-me convidativa. Gelou-me a alma sem dinheiro. Fiquei por ali, enquanto o "viado" reclamava da aglomeração de homens: "Ihhh!... ninguém vai subir, não? Isso aqui não é fila do açougue, não, minha gente!..." Eu disfarçava minha aflição com Continentais sem filtro, apalpando no bolso o dinheiro da condução.

Nada de o Cabeção aparecer. Onde estaria minha lourinha magrela? Fui me esgueirando até a porta dos fundos do corredor. Fingindo de bobo, abri a porta. Era uma cozinha escura onde, numa mesa com linóleo quadriculado, umas putinhas jantavam. Estavam comendo macarrão, no prato de alumínio. A lourinha magrela me sorriu: "Está servido?"

"Não, obrigado... Já jantei..."

"Experimenta a sobremesa, então."

De repente, me vi comendo um pedaço de goiabada, mudo de medo. Foi quando ouvi uma gritaria lá em cima. Cabeção estava descendo a escada atarantado, escorraçado pelo "viadinho". Saímos de cambulhada, enquanto a índia, com uma cara guerreira e xavante, berrava: "Que desaforo!"

No ônibus, Cabeção me explicou que broxara e quisera pagar só a metade do michê, para indignação da xavante e xingamentos do "viado". Cabeção chorava no ônibus, sem o dinheiro do pai, e os dois voltamos virgens para casa. Cabeção chorando de raiva e eu com gosto de goiaba na boca.

* * *

Um dia meu avô me apresentou a sua amante. Chamava-se Celeste e tinha o cabelo muito ruivo, desgrenhado, olhos muito azuis que me fitaram com um afeto risonho em que havia uma ponta de tristeza. Ela me beijou trêmula e carente como uma avó postiça. Eu era o único membro conhecido de uma família que a excluíra da vida. Ao mesmo tempo, ela se sentia vítima e traidora, o drama das amantes da época. Daí a melancolia que reprimia com seu sorriso. "D. Celeste é de uma importante família de militares", dizia meu avô com secreto orgulho da namorada. "Que gracinha... Você é xará do seu avô..." Eu não sabia o que era "xará" — tinha uns 7 anos no máximo. Meu avô não disse nada, mas eu via que entre os dois havia mais do que a amizade de colegas. Havia uma intimidade disfarçada, toques rápidos nos braços, carícias que paravam no meio, um cuidado suspeitoso comigo, tão pequeno para os segredos da vida.

Foi a primeira vez que eu a vi. A segunda vez foi muitos anos depois.

Minha mãe e minha tia sabiam do caso. Ouvia-as falando "por alto" ao telefone, comentando o "crime" de meu avô, referindo-se em código a ela como a "sujeitinha, a tal". Minha avó, creio, não sabia de nada. O estranho é que eu via tudo, na lucidez infantil diante do óbvio. E era mais intrigante ainda o fato de que ela parecia com minha avó Zulmira, muito branca, olhos claros e cabelo desgrenhado, só que não azul. Isso. Minha avó tinha o cabelo azul, pintado para esconder as madeixas brancas. Minha pobre avozinha sofria calada, entretida com suas plantinhas das quais ela cuidava com amor — "minhas bromélias, meus 'dentes-de-leão', minhas margaridas". No fundo de suas prováveis suspeitas havia o consolo de se sentir casada, com família, para a qual d. Celeste não existia.

Minha avó era culta, falava francês bem (*Cachez votre bonheur!* — me dizia ela que, sem dúvida, escondia a sua *malheur*).

Um de seus orgulhos era ter cuidado do Manuel Bandeira numa fazenda onde o poeta tentava a cura da tuberculose: "Despejei muito balde de hemoptises, coitado..."

As amantes de antigamente eram quase partes da família, partes ocultas, agregadas ao sistema sagrado do lar, quase um "serviço social".

D. Celeste me deu um beijo longo, quando saímos da repartição. Meu avô deixou-me dar uma tragada em seu cigarro e falou para si mesmo: "Me ajudou muito essa criatura..." Achei a palavra estranha — carinhosa e cruel. D. Celeste e esse amor não foi um casinho de colegas não; durou mais de trinta anos — bodas tristes, cinzentas, bodas de nada.

Os anos passaram. Eu levava meu avô, já gagá, ao Jockey Club para conversar com os tratadores seus amigos: "A Garbosa corre hoje, Ernani?" "Não, seu Arnaldo, ela já morreu." "E a Tirolesa?" "Também não..." Tudo se misturava — passado e presente eram iguais.

Vovô já vivia numa cadeira de balanço que ele impulsionava com muita rapidez, quase violência, como se quisesse voar pela janela afora. Havia um grande ódio que o movia: (pasmem) era um ministro, Ary Franco, hoje um presídio no Rio. Ary Franco era do STF quando vetou algum pleito dos funcionários aposentados... Isso prejudicou meu avô e seus amigos para quem telefonava sem parar: "Esse demônio diminuiu nossa pensão!" Esse ódio era seu único assunto no fim da vida, quando contava compulsivamente as notas na carteira para ver se fora roubado.

Um dia, sua cadeira parou de balançar e ele ficou calado, imóvel, repetindo uma frase baixinho. Era um endereço. Ele "conversava" com alguém: "Rua Ana Nery, casa tal, número tal... Eu sei, você quer que eu vá. Mas e minha família, Celeste, que que eu faço...?"

Minha avó andava pela sala ouvindo aquela ladainha sem estranheza, arrumando seus bibelôs de faiança, uns anjinhos de asas, um elefantinho.

Por amor, por curiosidade perversa, sei lá, um dia resolvi levá-lo ao tal endereço.

Os cabelos dela agora eram brancos. Não se erguiam como a antiga coroa ruiva. Esfarripados, caídos, brancos. D. Celeste estava numa mesinha da varanda recortando revistas com uma tesoura, guardando os recortes numa caixa. Ela nem estranhou a chegada de vovô. Parecia continuar uma conversa antiga, interrompida há pouco.

"Veja só, Arnaldo, lembra do crime do Sacopã? A Marina era amante do Afranio e o tenente Bandeira matou ele... Agora está na caixinha."

Colava notícias no álbum e olhava para meu avô com um sorriso orgulhoso.

"Agora guardo tudo — desde quando eu nasci. Tudo. Olha a manchete: 'Silvia Serafim, a meretriz assassina'. Ela matou o dono do jornal... Tudo o que aconteceu na minha vida está aqui. Está quase cheia, olha... Esse menino cresceu hein? Seu xará!"

"E esse Ary Franco que cortou nossa pensão?... Aqui se faz, aqui se paga, desgraçado!..."

"Olha esta capa d' *O Cruzeiro*. É a Dana de Teffé, linda. O advogado matou ela! Aqui, ó, a chegada dos pracinhas... Olha, a Martha Rocha, coitada... Perdeu..."

Ficaram um tempo em silêncio... Meu avô sentou a seu lado, olhar perdido no céu. E ela, dobrando jornal.

Eu via os corpos que se amaram, se enroscaram, eu imaginava braços e pernas enlaçados, a cabeleira ruiva entre seus dedos, os seios chupados, os gritos de amor, o suor nos corpos, agora tão magros e encanecidos.

"Olha nós dois aqui em Caxambu." Ele pegou a foto e seus dedos se tocaram por um instante.

"E..."

"Tinha tango no hotel, lembra? Eu dançava bem..."

"E..."

Outra pausa.

Vovô se ergueu, com minha ajuda, e foi olhar a grande mangueira cheia de mangas "carlotinhas" rosa. Pegou uma no chão e cheirou. Olhou o canário na gaiola e suspirou cansado:

"Já vou indo..."

D. Celeste nem olhou, entretida nos recortes: "Olha aqui, a Greta Garbo. Vi sua filha uma vez, na rua. Ela é linda. É a cara da Greta Garbo..."

Meu avô e eu saímos lentamente pelo portãozinho. D. Celeste ainda avisou: "Não volta tarde!..." — colando suas memórias no álbum.

Pouco tempo depois, minha avó morreu. O cabelo azul espalhado no travesseiro.

No velório, meu avô calado num canto. Aos poucos familiares que o abraçavam, falava da gripe espanhola:

"Em 1918, morreu gente como mosca. Eu e ela escapamos."

Ele já não entendia nada, mas seus olhos brilhavam como janelas de um passado remoto. Vi que em sua cabeça a vida estava passando em alta velocidade.

Fitou-me com um sorriso irônico e amargo e disse, como uma sentença: "Puta que pariu, seu Arnaldinho!..." Ali estava o resumo de sua vida.

* * *

Eu sou do tempo em que as namoradas não davam. É. A pílula foi a maior revolução cultural dos anos 60, pois as meninas, com pavor de engravidar, deixavam quase tudo, menos o principal, e os rapazes iam para casa com dor nos rins e perpetravam masturbações feéricas, ejaculando nos banheiros como foguetes à lua.

Os meninos de hoje vivem em haréns. Estes "pequenos canalhas" que eu tanto invejo torcem o nariz para deusas de 18 anos, entediados, enquanto, no meu tempo, quantas meninas eu tentei empurrar para dentro de apartamentos emprestados, ficando elas empacadas na porta, quantas unhas quebradas em sutiãs inacessíveis, quantas palavras gastas em cantadas intermináveis, apelando para Deus, para Marx, para tudo, desde que as saias caíssem, as blusas se abrissem, as calcinhas voassem. Não havia motéis, então.

Namorávamos em qualquer buraco: terrenos baldios, cantos da praia de noite; eu confesso que já "amassei" uma namorada dentro de uma grossa manilha encalhada na praia de Ipanema. Os carros eram poucos e deixavam um rastro de silêncio depois que passavam. Havia menos gente. Aconteciam menos coisas. As pessoas eram mais individualizadas — fulano, sicrano, rua tal, número tal, bar tal, comida tal, um dia depois do outro... Havia tempo para o tempo passar.

Mas deixemos de filosofias e fiquemos na sacanagem. Minha primeira namorada não era mais virgem. Era uma raridade. Era uma morena febril, agressiva, que dirigia uma Rural Willys do pai. Eu, que vivera até então na horrenda divisão entre puteiros e romances líricos, entre lágrimas e baldes de despejo, achei que ia começar meu primeiro amor adulto. Mas acontece que minha namorada resolvera reconstituir sua virgindade, recusando-se a perpetuar comigo seu "erro" do passado. Arrependera-se de ter cedido uma única e sangrenta vez ao "canalha" que me antecedera e, depois de lágrimas em confessionários, resolvera manter sua pureza intacta.

Para mim, foi um calvário de desejo insatisfeito. Na Rural Willys do pai dela, quase tudo era permitido, mas tudo sôfrego, apavorado, desespero e gozos no ar, ejaculações no painel — nada terminava. O apartamento era a grande esperança; se a menina entrasse, depois era mole. O problema era entrar.

"Não, não adianta, Arnaldo, aí eu não entro!..." Eu, jovem comuna, tinha a chave de um "aparelho" secreto do Partidão, ali na rua Djalma Ulrich, com um sofá-cama rasgado com o algodão aparecendo, aonde eu, da "base" cultural da UNE, tentava levar, sem sucesso, menininhas de esquerda, com triplo medo: sentimento de culpa, medo de broxar e de ser apanhado pelos comunistas caxias.

"Não. Aí eu não entro!", gemia minha namorada. Eu tentava argumentos que iam de Sartre e Simone até a revolução. "Mas, meu bem... Deixa de ser alienada... A sexualidade é um ato de liberdade contra a direita..." E ela: "Não entro! Isso seria também uma indisciplina pequeno-burguesa."

"Mas, meu anjo", eu suplicava, "não há essência, só existência..."

"Inclusive", disparei, "você tem que assumir que não é mais virgem!"

E ela, com boca de nojo: "Eu sabia que você ainda ia jogar isso na minha cara!!!" E fugia pelas escadas.

O medo era a barriga, medo que a pílula matou anos depois, mas era medo também de um labirinto de liberdades assustadoras, de apego a vestidos de debutantes, organdi branco, a véus de noiva esvoaçando nas almas românticas. Ninguém dava. As poucas que o faziam eram apontadas pelos rapazes, com suspeita, um respeito desconfiado. Quantos teriam coragem de casar com elas? Lembro-me de uma menina da universidade que entrava num transe meio epiléptico, de olho virado em alvo, que "dava" num sacrifício ritual de gritos e choros do qual acordava sem se lembrar de nada... Era um sucesso entre comunas caretas, uma espécie de "louca da aldeia". Por isso, homens falando em "liberdade" viviam em *rendez-vous* e em aventuras com mulheres casadas, infelizes matronas (uma que levei ao "aparelho" chorava pelo marido militar e gemia de vingança: "Ele odeia comunistas... ahh... Se ele soubesse...").

Ou então eram pobres empregadas carentes, lúmpens de rua (como se dizia). E havia também o recurso a mulheres turistas e estrangeiras. Um comuna amigo meu traçou uma funcionária do Consulado americano, a quem ele obrigava a chamá-lo de Fidel Castro (esse já foi até ministro...).

Tudo era complicado, proibido, ao som do rock e bossa nova. Éramos assim em 1962.

* * *

Meu pai foi aos Estados Unidos e comprou uma máquina de filmar, de 8 mm, Kodak.

Tenho essa câmera até hoje e, de vez em quando, fico olhando o buraco da lente por onde passou minha vida. Meu pai fez um verdadeiro longa-metragem de nossa família. Minhas primeiras imagens são quase de fraldas e as últimas mostram-me com 20 anos, recebendo a espada de aspirante da reserva, perfilado no quartel do Exército.

Lá estou eu, moleque jogando ioiô, soltando pião, lá estão meus pais, lindos, jovens, se beijando. Minha mãe era a Greta Garbo e meu pai um sheik meio Rodolfo Valentino e eles ainda se beijam, ali na tela, em tênue close-up por toda a eternidade. Nas imagens trêmulas, fora de foco, vi minha pobre família de classe média tentando uma felicidade precária, constrangida, me vi de novo, menino comprido feito um bambu ao vento, com as neuroses que até hoje me crispam a alma. Na tela, vi que minha crise de identidade já estava traçada.

Agora, meu filho de 8 anos brinca com a câmera de 8 mm; explico-lhe o mistério do buraquinho mágico da câmera, mas ele não se liga nessas falas analógicas — digital, contemporâneo, já na internet.

Sozinho, fui atrás de velhos filmes da época. Queria ver, no passado, se havia alguma chave que explicasse meu presente ou revelasse algo que perdi, que o Brasil perdeu...

Mas o que me impressionou nos filmes velhos a que assisti foi o *décor*, foram os exteriores, as ruas do Rio antigo. Ali, estava gravado aquele presente dos anos 50, que me pareceu um presente atrasado, "aquém" de si mesmo. A mesma impressão tive quando vi o filme famoso de Orson Welles, *It's All True*, com as cenas do carnaval carioca em Tecnicolor (espantosamente, são as únicas imagens em cores do Brasil daquele tempo). Dava para ver nos corpinhos dançantes do carnaval uma medíocre animação carioca, com pobres baianinhas em tímidos meneios, galãs fraquinhos imitando Clark Gable, todos com uma visível falta de saúde, nos corpos, nos olhos baços, adivinhando-se a alimentação pobre e a informação rala. Dava para ver a fragilidade indefesa e ignorante daquele povinho dançando, iludido pelos burocratas da capital. Dava para ver ali que, como no filme de minha família, faltava muita substância naquele passado.

No entanto, se vemos os filmes americanos dos anos 40 e 50, não sentimos falta de nada. Com suas geladeiras brancas e seus telefones pretos, cabelos altos e chapéus, tudo já funcionava como hoje. Mudaram os figurinos, mas eles, no passado, estavam à altura de sua época. A recessão de hoje vai mudar a cara americana, sem dúvida, mas aos poucos tudo vai se voltar, porque seu DNA ianque se recompõe e eles continuarão sólidos em sua marcha obsessiva.

Por outro lado, nós, brasileiros, éramos carentes de alguma coisa que desconhecíamos — aliás, como hoje, pois continuamos "anestesiados, mas sem cirurgia", em nosso subdesenvolvimento endêmico (M.H. Simonsen).

Como éramos atrasados naquele "presente". Nos filmes brasileiros antigos parece que todos morreram sem conhecer seus melhores dias. Por que não avançamos do atraso para uma modernização verdadeira? Porque nosso presente é uma mistura de irrelevâncias com raríssimas mudanças estruturais e importantes. O atraso resiste em todas as áreas da vida. O essencial nunca é feito.

Nosso presente não tem mais a luz triste, preto e branco do passado; tem cores vivas, digitais, internet e progressos aparentes, mas tudo encravado num mar de miséria e atraso. Basta ver o rosto do povo em qualquer rua. O que chamamos de Brasil moderno é uma ilha maldita de "Caras", uma selva de celebridades inúteis, se batendo, se comendo, se exibindo numa ociosidade patética.

Como nos veremos do futuro, daqui a décadas? Não veremos os ridículos fracotes mal alimentados dos anos 40 e 50; mas, veremos um show de mediocridades travestidas de "avançadas". Somos um gigante com os pés metidos na lama, na corrupção, na violência, mas posando de tecnológicos e cibernéticos.

Assistimos a chacinas diárias entre chips e websites. Temos Ferraris nas ruas e tiroteios em Ipanema. Vivemos um narcisismo brega, desinformado, balbuciando reclamações vagas, sem união para protestos, sem desejos claros para vocalizar. Nosso atraso cria a utopia de que, um dia, chegaremos a algo definitivo.

Mas ser subdesenvolvido não é "não ter" futuro; é nunca estar no presente.

* * *

Minha lembrança mais antiga sou eu mesmo encolhido em minha cama de menino, no meio da noite, ouvindo beijos e gemidos de meus pais se amando no quarto ao lado.

De manhã, fui acordado por minha mãe, trêmulo de angústia. Ela não era mais a mesma; era uma mulher diferente, com a camisola transparente por onde se viam seus seios brancos.

Meu pai era oficial da Aeronáutica e, grande piloto, voava de rodas para cima, fazendo piruetas sobre nossa casa. Eu e minha mãe, juntos no jardim, víamos o monomotor desenhar parafusos no céu para ela, pálida de orgulho e paixão, até que uma das asas caía e o avião vinha despejando fogo sobre nós, esmagando minha mãe no meio do jardim de rosas, sobrando apenas eu, entre destroços e chamas.

Com medo de sonhar de novo, tentava não dormir, mas o cansaço me vencia, e lá vinha o avião em sangrento parafuso em meu sono e eu acordava chorando por meus pais mortos no jardim.

Nessa época, adquiri um estranho hábito: parir-me. Logo que minha mãe me beijava e fechava a porta, tomava-me a volúpia de ficar sozinho no quarto como um clandestino; era como se eu traísse minha mãe comigo mesmo. E aí começava meu ritual de nascimento.

Eu despia o pijama assim que ela saía e começava o parto. Imaginava-me inteiramente liso, como raspado para uma cirurgia e, de dentro de meus membros, saía um outro corpo, como a borboleta da crisálida. Meus pés surgiam de dentro dos velhos pés, minhas panturrilhas rompiam a frágil casca da pele e emergiam fortes e prontas para gols de bicicleta, que eu via na TV, e com o peito do Tarzan, que eu via no gibi a combater gorilas. Era assim que conseguia dormir, imaginando o que eu não era. Eu era "nada" e tinha de me inventar. Sentia-me um órfão; seriam eles meus pais mesmo?

Minha mãe falava muito na ex-noiva de meu pai, Ivone, creio. Ele largara-a praticamente na porta da igreja, apaixonado por minha mãe, que, apesar do orgulho de "favorita", vivia com medo da volta da "rival". Comecei outro delírio: se meu pai não tivesse conhecido minha mãe, eu não existiria; e, se ele tivesse casado com Ivone e minha mãe com outro homem e tivessem filhos, haveria dois pedaços de mim soltos no mundo — duas pessoas com metade do que eu sou, a parte de minha mãe e a parte do meu pai. Como seriam os dois pedaços de mim? E eu imaginava seus rostos, mas vivia no fundo do nada.

Queria ser parte da vida de meus pais, mas não conseguia entrar.

Não se largavam um minuto, mas não se entendiam. Com a TV, o cinema americano, os beijos ardentes de amor romântico, a nudez nas praias, os casamentos já não tinham a solidez obediente do passado, com pai severo, mulher calada e filhos reprimidos. Afinal, o que faltava entre meus pais? Eles se amavam, mas não sabiam "como". Era como se tivessem saudade de um amor que não acontecera. Eu via as inúmeras brigas por nada, seguidas de soluçantes reencontros, de abraços convulsos, via os ciúmes de minha mãe da prima gostosa de maiô duas-peças, vi a poltrona de veludo em que ele meteu o pé enlameado em fúria, via as tardias chegadas de meu pai, voltando de misteriosas reuniões, vi minha mãe procurando alívio numa médium espírita que lhe dava conselhos com voz grossa de "caboclo", minha mãe sofrendo com a novela de rádio, minha mãe ao telefone com minha tia, chorando, na certeza de que ele tinha uma amante, via o silêncio de meu pai vendo TV de tarde, não respondendo mais às falas compulsivas de mamãe, que me disse, orgulhosa e triste: "Seu pai foi o único homem que eu beijei, mas ele tem outra, tem outra..."

Uma noite, já adolescente, segui meu pai. Seu carro parou na praia e uma mulher entrou. De madrugada, vi pela janela meu pai voltando no velho Ford 61. Chovia muito. Ele saltou do carro e ficou parado na chuva, sem entrar. Ele parecia sentir prazer de se molhar ali, na porta de casa. Da janela, eu gritei: "Papai, entra!" Demorou ainda, mas acabou entrando, ensopado e trôpego de bebida, e logo eu ouvia minha mãe no quarto, chorando alto: "É a Ivone! Ela voltou pra te levar! É ela!"

Meu pai continuou a sair de noite e mamãe chorava: "É ela!... Ivone!" (como se depois de tantos anos, Ivone, velhinha, "fizesse a vida" na praia de Copacabana).

Minha mãe se perdia em sua solidão amargurada, diante do silêncio duro de meu pai. "Ele não aguenta mais", eu pensava.

Um dia, mamãe começou a morrer, "dois a três meses no máximo", disse o médico. Meu pai não deixou ninguém cuidar dela e foi seu perfeito enfermeiro até a morte, quando vi meu pai chorar alto, mas sem lágrimas no rosto. Era um gemido seco — dizem que octogenários não têm lágrimas. Trancou-se em casa e não queria ver ninguém. "Vamos dar uma volta, pai, tomar um chope..." Não havia hipótese. Durou meses isso. Eu e minha irmã queríamos visitá-lo: "Não preciso, não quero ninguém aqui...!"

Um dia, achei uma chave de sua casa e fui surpreendê-lo. Abri a porta e a casa estava vazia de móveis. Só um sofá e meu pai sentado ali.

Em todas as paredes da casa havia retratos de minha mãe, muitas dezenas — meu pai tinha ampliado todas as fotografias de mamãe, seu rosto enchendo as paredes até o teto: ela sorrindo num navio, ela de casaco de pele, ela jovem e linda de vestido de baile, ela e o casamento, ela no Pão de Açúcar, ela em closes enchendo as paredes da casa vazia. Sentei ao lado de meu pai no sofá. Ele não falou nada, mas deu um gemido seco como no dia do enterro.

Semanas depois, eu quis voltar: "Não precisam vir aqui!", disse ao telefone.

Fui assim mesmo.

A casa estava vazia e a TV ligada muito alto com um programa vespertino, *Jeannie é um gênio (I Dream of Jeannie),* que ele gostava de ver.

Papai continuava sozinho no sofá; só que agora estava caído para o lado, a luz da TV sobre ele, muito pálido, imóvel, com um filete de sangue saindo do nariz. Em volta, como um céu estrelado, dezenas de rostos de minha mãe sorriam para ele. Senti o peso de minha orfandade. Era como se eu não existisse. E pensei nos dois pedaços de mim, soltos no mundo, se meu pai e minha mãe nunca tivessem se encontrado.

* * *

Eu devia ter uns 16 anos quando vi as pessoas pela primeira vez. Estava na janela de um ônibus parado no engarrafamento e olhava as pessoas passando na calçada: homens, mulheres, crianças, mendigos, gordos, magros, feios e bonitos. De repente, eu os vi. Até hoje me lembro da emoção e do alívio que senti. Alívio, sim. Eu vivia mergulhado em mim mesmo, torturadamente buscando sentido no mundo, mas amarrado à angústia e à delícia de me sentir único, especial. Até então, as pessoas se misturavam à paisagem, eram parte das ruas, dos ônibus, dos botequins, elas eram parte de um mundo onde eu não vivia. Eu queria entrar na vida, mas nunca passava pela porta estreita que levava aos meus semelhantes. Mas, dessa vez, da janela do ônibus, não. Eu não estava mais ali e as pessoas se moviam sozinhas, "livres" de mim, e eram nítidas, não mais nebulosas. Senti uma espécie de amor pelas caras diferentes da minha, vi com fascinação seus defeitos, um nariz grande, uma roupa suja, um vestido pobre para a pobre moça, uma velhinha pedindo esmola, todos na completa solidão de suas vidas. Senti alívio porque eu sempre vira o mundo sem me incluir nele, desfocando os "outros" com a sombra de meu nariz em primeiro plano, com meu "ego" criticando-os. Naquele momento, eu quis existir junto a eles, "sem mim". E pensei: "Como me veem eles? Afinal, quem sou eu?" Precisava descobrir. Eu tinha sido uma ilusão e agora queria me encher de experiências, pecados, o que fosse. Entrei numa sofreguidão de pertencer a um mundo simples, até mesmo o "baixo mundo" onde estava a mística da perversão, a deliciosa pureza das putarias. No perigo e na morte estava uma verdade maior sempre ocultada pelos meus pais e professores. Comecei a viver nos becos e buracos de Copacabana.

Um dia, fui ao maior dos perigos: o Mangue; fui sozinho, pálido de minha coragem. Minha chegada na "zona do baixo meretrício" — como chamavam — foi um soco na cara. No Mangue havia uns tapumes que a Prefeitura botava na frente das esquinas, para ocultar a prostituição pobre. O Mangue era um país ao avesso. Eram quarteirões de casas toscas, porta, janela e varandinha, onde se exibiam as mercadorias: as mulheres, diante das quais os homens se postavam como em filas de açougue, em filas de emprego.

Ao primeiro olho, tudo parecia um grande comício. Havia ali mais de mil pessoas ou seria meu olhar espantado? Muitos anos depois filmei essa viagem ao Mangue, que talvez seja a melhor cena que fiz em minha vida, no meu filme *A suprema felicidade*, em 2010.

O que eu vi primeiro foram as línguas e os dedos. As mulheres ficavam repetindo como bonecas mecânicas o mesmo gesto em que as línguas se batiam entre os lábios, como cobras, e os dedos indicador e polegar unidos em "o", balançavam como num gesto trêmulo de Parkinson, como se todas estivessem em uma dança sincronizada. Esses gestos eram um "marketing" de suas habilidades: "pela boca e por trás", significavam. Eram mulheres apinhadas nas escadinhas e nos portais. Havia negras, brancas, louras pintadas, velhas, mocinhas fracas e, mais espantoso, quase todas nuas, só de calcinha e sutiã em posições sem qualquer elegância sedutora; eram pernas abertas, seios para fora, cabelos espichados, bocas sem dentes, batons carmesins borrados, gritos e gargalhadas num descaramento proposital, pois ali (todos sabiam) era a cloaca barata, a vala comum, ali só estava a miséria do sexo, o proletariado do desejo.

Aquele mangue entrava em mim como uma enxurrada de vida, como uma sujeira salvadora contra a pureza a que me obrigavam.

Todos que enxameavam nas ruelas tinham uma fome de escracho para esmagar qualquer ilusão.

Tomei coragem e entrei numa casinha onde os quartos eram divididos em pequenos compartimentos como baias de cavalo, onde uma caminha suja de solteiro ficava debaixo de um São Jorge com luzinha. Havia baldes, cheiro de urina, mulheres olhando paradas, ruídos de cópula, velas acesas e os eternos viados da faxina, pobres e feios, cuidando dos sanduíches e panos de chão.

Diante das casinhas sujas, os homens se postavam, baços, pobres, pardos, avaliando com olho morto as réstias de beleza ou juventude que houvesse por ali, enquanto as mulheres em rebanho diziam frases mecânicas tipo "vem cá, *boniton*!" (ainda havia velhas polacas pintadas), todas fazendo os gestos de dedo e língua como num comício de mudos. Se os puteiros de classe média fingiam de casa de família, aquilo ali semelhava um campo de concentração. Havia um clima de guerra, de gueto de judeus, estrelas amarelas, febre no ar. Havia ali um grande escracho com a liberdade; aquela suja liberdade que todos tinham era uma coisa a ser enxovalhada, morta a pedradas, esfregada na cara de fregueses e putas. As mulheres estavam se vingando por estarem ali, prisioneiras livres, se vingando nas poses safadas, se vingando dos fregueses, se vingando de si mesmas.

Foi então que aconteceu.

De uma casa, em meio a uma súbita gritaria de pânico, um marinheiro mulato surgiu correndo desabalado e sumiu na esquina do Mangue em um segundo. E, na mesma porta, em câmera lenta, uma mulher apareceu, completamente nua, muito branca, usando apenas uma fita vermelha descendo-lhe entre os seios, obliquamente até a cintura, uma fita perfeita, rubra, como uma faixa de miss. Sua mão erguida com delicadeza apontava para cima e de seus dedos pingavam estrelas vermelhas. A mulher, branca de cal, de gesso, não era uma miss com faixa; a fita vermelha perfeita era a navalhada que o amante mulato desferira, antes de sumir na rua, e, de seus dedos erguidos, o sangue caía como as flores rubras de uma árvore alta.

Anos depois, eu vi num museu aquela mulher do quadro de Delacroix, simbolizando a liberdade francesa, de seios nus — a "república" à frente dos cidadãos. E me lembrei sempre da mulher muito branca com a fita de sangue no busto. Naquele dia, eu descobri o Brasil.

* * *

A primeira vez que eu vi Rimbaud, senti que havia outra vida para além das paredes cinzentas de meu quarto. Eu com 17 anos de idade, sem amor nem sexo, não li Rimbaud apenas; eu o vi, diante de mim, "como um gracioso filho de Pan — em torno a sua fronte coroada de flores, seus olhos, duas órbitas preciosas, giravam. Seu peito parecia uma cítara e acordes ressoavam em seus braços louros e seu coração batia em seu ventre onde dormia um sexo duplo". Nesse dia, vi que ele morava em outra vida, *la vraie vie* (a verdadeira vida), como ele a chamava.

Não havia internet naquele tempo e a literatura era tudo; a poesia era a promessa de outra realidade, impalpável. Li depois, em Artaud, uma profunda definição de arte: "A arte não é a imitação da vida; a vida é que é a imitação de alguma coisa transcendental com que a arte nos põe em contato." Se é que arte tem definição, entendi que aquele era o campo de Rimbaud, quando li seus poemas com o coração disparado. "Eu a reencontrei. O quê? A eternidade. É o mar alado partindo com o sol." Minha vida mudou. Rimbaud abria a consciência como uma droga. Anos mais tarde tomei LSD e vi que a experiência de Rimbaud era lisérgica. Jim Morrison e Kurt Cobain eram Rimbaud.

Eu vivia em vertigem. Não sabia o que queria, mas não queria a vida de meus pais, escurecida por uma infelicidade que não percebiam. Minhas conversas com meu amigo "Broca" beiravam a loucura. Delirávamos à beira-mar, nos paredões da Urca, nas noites daquele tempo. Onde andará

Broca, o gênio que gritava para as pedras, onde fervilhavam caranguejos e guaiamus: *Oisive jeunesse à tout asservie, par délicatesse j'ai perdu ma vie!** E eu contracantava: "Temos de ser absolutamente modernos!" E os guaiamus agitavam as antenas espantados.

"Temos de conseguir o desregramento de todos os sentidos", nos ensinava Rimbaud, com sua cara de linda bicha louca, no quadro de Fantin-Latour. Partimos então para os puteiros — nossa ideia de desregrar sentidos. Não havia drogas ainda, nem uma reles maconha ao alcance de burguesinhos como nós. Enchíamos a cara de cuba-libre (Coca-Cola com rum) e íamos para os bordéis, que pareciam salas de visitas de classe média, com "meninas" sentadas em volta, discretas, num silêncio de velório, e indo conosco para a cama emburradas como para um sacrifício — homenagem à virtude perdida. As putas tinham uma aura de transgressão, de loucura, de que nos orgulhávamos, os dois corajosos lutadores contra a caretice. Naquele tempo a verdade era inatingível.

Hoje, a "verdade" se proclama visível. O Google tem todos os sentimentos catalogados, mas falta-nos sentir o gosto de alguma coisa vaga que nunca se atinge. Qual seria a emoção de um *gamer* ao ler: "Enquanto os fundos públicos são desperdiçados em caridade, um sino de fogo róseo soa entre as nuvens." O jovem teria um tédio infinito. Ninguém quer atingir mais nada. Está tudo aí, classificado.

A realidade era nosso delírio. Olhávamos com desprezo os comuns ou então elevávamos os mais vulgares vagabundos à condição de seres tocados por uma aura imerecida. Até que um dia o Broca se apaixonou. Enamorou-se de uma colegial sóbria e virgem, claro. Todas eram virgens. Começou a rarear seu amor ao "desregramento"; ia de mãos dadas ao cinema e já olhava com uma ponta de desdém a minha "maldição". Eu o desprezei naquele namoro, muito mais para Lamartine que para nosso deus maldito. Mas aquele amor me tocou. "Minha vida era um festim aberto a todos os corações", murmurava.

Um dia, chegou a minha vez. Não sei como fui capturado pelas duas Terezinhas. Uma era magrela e feiosa e a outra era gorda. Sei que moravam juntas e tinham amantes, mas não eram prostitutas, não. Preferi a Terezinha gorda, rosto bonito, muito gorda, mas dividida por uma cintura finíssima e formas sólidas. Deitado em seu corpo nu, parecia estar em um col-

* Ociosa juventude / De tudo pervertida / por minha virtude / eu perdi a vida.

chão macio, farto, onde me aconchegava como num grande berço protetor. Eu sentia que ela estava encantada com aquele garoto extasiado. Ela tinha algo de vaca e de mãe.

Só pensava nela. Saía do colégio de uniforme, corria para seu apartamento conjugado no Lido e me jogava em seus braços, com um fervor que aos poucos foi entediando Terezinha gorda — percebi eu, algumas vezes, durante meus delírios poéticos: "Por vezes vejo no céu praias infinitas cobertas por brancas nações em júbilo", frases do "além", segundo ela, que era espírita, médium e também funcionária pública que — dizia triste — tinha de contar com a ajuda de um senhor que era seu chefe de seção. Mesmo assim, eu via em Terezinha uma Vênus primitiva, com ancas fecundas, os seios escapando do sutiã negro, com uma luz de grandeza inatingível e misteriosa. No entanto, ela estava diferente, eu via, e já forjava uma admiração por meu "gênio", traída por um desinteresse crescente.

Até que um dia ela disse que não dava mais para eu ir ali, que seu protetor estava voltando de viagem e que eu tinha de arranjar uma moça da minha idade. Ficou com o rosto impassível mesmo quando comecei a chorar, sentindo-me um poeta abandonado, pois, "quando se tem fome e sede, alguém nos expulsa!" Foi quando a outra Terezinha, a feia, gritou da janela: "Ih, o Peçanha está chegando", e saiu correndo porta afora. A gorda amada me empurrou para o hall, coberto de lágrimas, no momento exato em que um sujeito forte e careca cruzou por mim na escada e meteu o pé na porta, dando para ouvir seu berro de "quem é esse merdinha aí?". Eu descia correndo, mas voltei, ao ouvir uns gritos lá dentro, olhei pelo olho mágico e vi, como numa luneta convexa, o sujeito arrancando a roupa de minha gorda metafísica e cobrindo-a de bofetadas, que ela recebia com as faces coradas de alegria e um fio de sangue escorrendo-lhe da boca, enquanto lambia o peito cabeludo do sujeito, também banhada em lágrimas. Ali, no olho mágico eu vi então a *la vraie vie* (a verdadeira vida) que Rimbaud deve ter visto quando Verlaine tentou matá-lo com dois tiros. Quando saí, a rua estava diferente.

* * *

Não estou mais com 8 ou 10 anos e acabo de entrar na universidade. Lembranças surgem e somem na minha cabeça. Hoje me lembrei do Nelson: "Genial!", ele disse perto de mim, sobre um filme que estava passando. Acho que foi *A aventura*, do Antonioni. Ergui os olhos e vi, pela primeira vez, aquele que virou meu melhor amigo. Eu me sentia deslocado entre tantos colegas já de terno e gravata, prontos para a vida de advogados. Nelson me pareceu irmão de infortúnios, de loucura, eu que odiava as aulas de direito num país onde a lei (eu já sentia) era uma piada. Vivíamos entre duas revoluções: a revolução política e a revolução sexual. A pílula ainda não tinha chegado, mas já havia um clima de temerosa liberdade: os "amassos" eram mais fortes nos automóveis, os vestidos eram mais curtos e sentíamos que em breve amor e sexo seriam diferentes.

As meninas deixavam quase tudo, mas enguiçavam na porta dos apartamentos — naquela época, a gravidez solteira era doença venérea.

Eu tive uma namorada, não mais virgem, que nunca me permitiu repetir o feito do "ex" — na ilusão de "reconstituir" a inocência perdida.

Uma outra se entregava loucamente, de olhos em alvo, com gemidos de angústia, simulando um "desmaio" que a absolvia do consentimento, como se não fosse ela quem estava ali.

Mas Nelson, esse se apaixonava. Seus namoros eram de pierrô — mãos dadas, beijos trêmulos. Ele não era feio, mas sua calvície precoce, sua inteligência que esmagava as meninas em conversas infinitas, sua leve obesidade em calças de tergal herdadas do pai, sem a menor vaidade masculina, afastavam possíveis namoradas.

Nelson não era gay. Ao contrário, mostrava interesse demais pelas moças e não exibia o típico distanciamento viril, para se fazer desejado.

Em conversas ansiosas, elas percebiam sua insegurança denegada, em sua simpatia percebiam o medo e, assim, ficavam suas amigas, mas nunca amantes, enquanto os cafajestes juvenis levavam-nas para mãos nos peitos, sutiãs rasgados, calças arriadas nos bancos de trás dos carros.

Nossa amizade crescia na fome de literatura.

"Quero fazer arte séria!", ele dizia, berrando poemas nas noites estreladas, com sua voz arfante: "*April is the cruellest month* (...) *mixing memory and desire!* Genial! Genial!"

Um dia, chegou a pílula e, com ela, amores famintos, os motéis, orgasmos nas noites, os biquínis, os peitos de fora, o fim da inocência, beijos de língua, corpos nus entrelaçados.

Nelson apareceu com uma namorada. Era uma garota de roupa muito justa, levemente estrábica, uma sensualidade enleante, visível orgulho de seus seios empinados, parecendo gostar muito do Nelson, que a cobria de gentilezas, beijos leves, abraços apertados e uma alegria imensa no rosto. Estava mais adulto, confiante.

"E aí?", perguntei. "Cabaço?"

Ele ficou encabulado. "Não... Teve um namorado..."

"Então, o virgem é você!", sacaneei.

Ele riu alto e arfou: "Isso! Rimbaud: *Par délicatesse, j'ai perdu ma vie!* Genial! Genial!"

E aí sumiu durante um tempo. Vivia nos balcões dos cinemas, aos beijos sem fim, sob a luz vigilante dos lanterninhas. Passaram-se uns meses e, um dia, ele me procurou de novo.

Estava mudado. Disse que ia trabalhar num escritório, usava um terno cinzento e uma gravata torta e seus olhos mostravam uma tristeza imensa. Estranhei quando me levou à sua casa e me deu sua coleção dos *Cahiers du Cinéma*, amarelos, que até hoje guardo.

"Que é isso, Nelson? Os *Cahiers?*"

"Já li tudo, pode levar...", disse, como se desistisse de alguma coisa.

Na sala, a empregada preta servindo café, um pai gordo e tristíssimo vendo a televisão em preto e branco, a mãe lendo a *Manchete*, tudo sob luzes mortiças e quadros feios, móveis escuros, cortinas ventando como velas de um barco parado.

Entendi de onde vinha a ansiedade do Nelson, querendo respirar a vida. Na porta do elevador, perguntei: "E aí? E a namorada?"

Seu rosto ficou sombrio. "Está aí, estamos nos vendo..."

Ele sumiu de novo e fui tocando a vida.

Um dia, a garota (Mariana, creio) me apareceu no pequeno apartamento de meu pai em Copacabana, para onde eu fugia. Ela entrou agitada, sem cerimônia, cruzou as pernas fumando e falando sem parar, elogiando muito a bondade do Nelson, sua inteligência, mas acabou dando a entender que a relação estava impossível, que não dava mais, que ele era o máximo, mas...

"Mas o quê...?"

"Não dá mais... Ele não consegue, fica chorando com as mãos no rosto, chorando na beira da cama, dizendo que não consegue, chorando nu, sem parar."

Mariana caiu em prantos e se agarrou em mim, soluçando. Seus seios (seu orgulho) arfavam contra meu corpo e suas lágrimas me molhavam o rosto, que ela começou a beijar febrilmente até a cama em que caímos naquela tarde chuvosa. Foi tudo muito intenso e rápido e ela saiu fumando nervosamente.

Não sabia por onde andava o Nelson, e isso me aliviava, pois ele trabalhava mesmo num escritório de advocacia na Cinelândia.

Passaram uns meses e foi então que tive meu primeiro contato com a tragédia.

Pelo telefone, me chega a notícia de que Nelson tinha morrido. O lanterninha o encontrou imóvel, com seu terno cinzento. Ele morrera do coração aos 23 anos, dentro de um cinema, sozinho.

Eu nunca tinha visto um morto e, nublado por minhas lágrimas, lá estava seu rosto pálido rodeado de flores. A desgraça era absurda e a família gemia de dor, sem entender como aquilo podia ter acontecido. As pessoas me olhavam espantadas, porque eu chorava abertamente, de rosto erguido para todos verem, e experimentava um estranho prazer em meu pranto excessivo, quase vergonhoso. Muitos estranhavam tanta dor. Creio mesmo que exagerei conscientemente os soluços. Não sabia por que chorava tanto, mas sabia que tinha de chorar. Hoje, me lembrando, entendo tudo, claro.

Nelson morrera assistindo a *Palavras ao vento*, de Douglas Sirk, com Lauren Bacall e Rock Hudson, em reprise no Pathé. "Genial!", ele teria dito se me encontrasse depois.

* * *

O telefone do meu tio não dava linha. Era sempre assim: as linhas para o Centro da cidade nunca completavam a chamada. Depois de meia hora meu tio conseguiu falar com a secretária do seu chefe no Banco do Brasil que lhe disse de uma reunião de urgência, o que lhe deu um pavor especial, como se estivesse indo para um tribunal. Os "lotações" passavam lotados, zuniam sem parar até que um deles fez meia trava e falou: "Só agachadinho." No terno marrom da Ducal meu tio foi sentado no chão e se consolou pensando nos jogadores que posavam nesta postura, Ademir agachado, Danilo agachado, ele no micro-ônibus com as pernas de uma senhora de meias ortopédicas junto a seu rosto. Recebeu o troco do ramalhete de notas que o motorista tinha entre os dedos e desceu na avenida Rio Branco, em 1951, quando tudo era precário, com ônibus amontoados no trânsito sem rumo, milhares de transeuntes em sua pressa pobre, o que lhe aumentava o medo e a solidão porque (pensava sempre) dali a cinquenta anos todos estariam mortos.

E seu peito esfriou mais ainda quando atravessou a repartição, entre as máquinas de escrever batucando, como se o acusassem de fracassado, ele que marcava passo enquanto incompetentes subiam na vida.

Por que a ponta de sarcasmo no tom do contínuo que o chamou de "meu chapa"? Por que a ironia no sorriso gélido da secretária?

O novo chefe à sua frente exibia uma desdenhosa superioridade, de modo a camuflar o fato de ser um indicado político boçal. Ele falava lentamente, como cabe a um diretor dirigir-se a um subordinado em cadeira mais baixa, e seus olhos luziam cruéis quando lhe comunicou que seu relatório estava muito fraco, entregando-lhe o maço de papéis com desprezo. Trêmulo, ele perguntou por que o relatório era ruim e o chefe respondeu com um sorriso de expert para ocultar sua ignorância: "Descobre você mesmo", e indicou-lhe a porta.

Seu amigo mais próximo era o porteiro, que o "gozou" quando ele saiu do prédio: "Seu Flamengo, hein? Vender o Zizinho pro Bangu?" Dos bondes pendiam cachos de passageiros nos estribos como trens da Índia. Agarrou-se em um deles, grudado entre um negão fuzileiro naval de paletó vermelho, irritado com o recém-chegado e o condutor, que se pendurava no cacho humano para pegar as notinhas de cruzeiro, e ele, protegendo o maço do relatório que o vento ameaçava desfolhar, se perguntava com amargor por que o relatório era ruim, mas falou está falado, o chefe manda, e pensava também no catupiry que se esquecera de comprar, já imaginando a cara de sua mulher dando um muxoxo que significava sua desvalia.

Não que fossem infelizes no casamento longo; sem ódio ou desamor, havia entre eles uma estranheza, um temor quando se amavam raramente no escuro da cama, quase um incesto entre dois irmãos íntimos, o que lhes esfriava o corpo, pois não sabiam como transformar o tédio incestuoso num delicioso pecado, numa perversão excitante.

Não que estivessem velhos e feios; eles eram exatamente o que a vida lhes previa há anos — ela, com sua gostosura suburbana, perdera a bela maciez juvenil que clamava por fecundações que nunca vieram, sem falar no aborto espontâneo que lhe extinguiu o desejo maternal. O que antes era vigor do fundo de suas glândulas virara um peso de órgãos infelizes, ovários inchados, flores brancas, escassez de menstruo, varizes que lhe azulavam as pernas muito brancas e indesejados pelinhos negros que se espalhavam pelas coxas como uma hera, o que o abatia quando despia o terno da Ducal e se deitava sobre seu corpo. Ambos eram fiéis e quase não brigavam em silenciosa paciência, numa familiaridade insossa e, de noite, nas salas e nos quartos, pareciam personagens de uma casa que era na realidade habitada pelos móveis. Entre poltronas de veludo, quadros de pretos velhos e pombas, entre cortinas e abajures eles viviam combinando seus gestos com a mudez desbotada dos ambientes.

E o que mais lhe doía ali no estribo do bonde era saber que não seria despedido jamais, apenas eternamente humilhado, pois tinha estabilidade no emprego público; se bem que, no fundo do seu corpo, havia o desejo de sê-lo — por quê? Sentia vontade de ser expulso não só do banco, mas de tudo, ejetado, projetado como uma bala para bem longe, para um remoto lugar onde não houvesse nada a não ser uma imensa planície verde como um infinito campo de golfe — por quê?

Pulou do bonde andando e chegou em casa. No elevador, já sentia a habitual mão dura e fria no peito. Quando entrou no apartamento evitou passar em frente ao espelho, com um vago receio de não ser refletido. A casa estava vazia — somente ele e os móveis: o sofá de folhagens estampadas, a poltrona de veludo que parecia se mover em sua direção, a jarra de flores de plástico prestes a cair da cristaleira e o rádio tocando baixinho um bolero. Desligou tudo e ouviu o silêncio com um agudo ruído ao fundo, como uma nota de violino sem fim.

A mão fria apertava mais seu peito e empurrou-o até a cozinha. A empregada pretinha chamava-se Walkiria (por que o nome wagneriano?).

Mandou-a comprar bananas. Ela saiu. Ele bebeu um copo d'água com goles sôfregos. Em seguida foi até a área de serviço, tirou os sapatos, arrumou-os juntinhos com o pé direito um pouco à frente, como sempre fazia para dar sorte. Em seguida, jogou-se da janela como um banhista que mergulhasse de um trampolim.

As estatísticas registram o hábito estranho de que quase todos os suicidas tiram os sapatos antes de pular. Por quê? Talvez uma esperança de leveza, uma hipótese de voo, o quê? Um desejo de elegância para evitar sapatos desconjuntados?

Em três segundos, enquanto caía, muitas emoções viveu na velocidade da luz: um alívio pela coragem, um pavor arrependido, a ressurreição (sim, muitos se matam para renascer), a esperança de que o chão não chegue nunca, a curiosidade de conhecer a morte no instante do impacto e a pergunta "por quê?". Caído na calçada, pode ter visto um campo verde.

Quando a empregada chegou com as bananas só viu a cozinha vazia e os sapatos pretos de amarrar, arrumadinhos no canto da área. Pegou os sapatos para levar ao quarto quando começou a gritaria dos condôminos lá embaixo.

* * *

A recente regulação trabalhista das empregadas domésticas tem provocado grande desconsolo em patroas peruas. Em pânico, descobriram que há "classes sociais" e que as criaturas que limpam banheiros e fazem feijão não foram trazidas por um vento, sem endereço, sem sobrenomes, sem carteiras.

Por isso, lembrei-me de *Um coração simples*, de Flaubert, um dos maiores contos da história da literatura. Minha família também teve uma empregada perfeita, como a Felicité do conto, que durante a vida toda cuidou de uma família francesa de província como de um templo sagrado. Nossa Felicité chamava-se Hermínia. Era quase um fiapo, quase nada, pretinha, magrinha, mirrada e viera da roça como todas as empregadas da época. Achávamos que "roça" era um lugar de onde vinham as pessoas pobres, outro país, com batatas e mandiocas, pastos de bois e empregadas que se agregavam a famílias urbanas. A "roça" era o resto de um país de escravos libertos que continuavam escravizados por salários magros e se alojavam no quartinho perto do tanque. Hermínia trabalhava com meus avós que moravam ao lado de meus pais. Ela cozinhava, arrumava a casa, lavava, passava, com pequeno salário que guardava, pensando num futuro onde havia um enxoval e uma casinha. Viera muito mocinha; era da idade de minha mãe e minha tia e cresceu junto com elas, que casaram e tiveram filhos; ela não teve filhos nem casou, mas continuou rindo sem inveja, cuidando das crianças que não teve, a quem amava com devoção de "mãe preta", como se nomeara. Talvez como consolo, falava sempre de um namorado que nunca ninguém viu chamado Ormezindo (lembro-me do nome que me fascinava e pensava: "Como será o Ormezindo?").

Ele nunca apareceu, nunca o vi. Em um fim de ano, ela o esperou para uma visita prometida. Não veio num dia, nem no outro. Até que uma prima ligou de um telefone público e ela se trancou no quartinho do quintal. Eu vi pelas frestas que ela chorava no chão, agarrada numa imagem de São Jorge, de capa vermelha, lança e dragão. Não tive coragem de entrar no quartinho, pois percebi que ela estava longe dali, chorando e falando com alguém em algum lugar da terra de onde viera. No dia seguinte, botou um vestido preto e foi à tenda espírita, de onde voltou mais calma, pois a mãe do centro lhe disse que um dia ela ia encontrar o Ormezindo de novo. Minha avó segredou-me que o Ormezindo aparecera morto na estrada de Paty do Alferes, onde se conheceram.

E a vida continuou. Todo mundo envelhecendo e só Hermínia continuava igual, como se o tempo não passasse sobre ela. Ali, sob o caramanchão do quintal, me lembro de meu avô de pijama engraxando os sapatos, minha tia lavando os cabelos, minha avó regando as flores, e eu mesmo, que ela fazia girar num corrupio que me arrancava risadas infinitas.

Sua presença atemporal me dava a sensação de que nossa vida suburbana era imutável. Hermínia era a empregada perfeita, tão diferente das criadas de mamãe, como a América, cozinheira maluca que (ela afirmava) voava até o teto, onde ficava grudada como uma lagartixa. Todas invejavam vovó com seus cabelos azuis que Hermínia tingia no quintal em uma bacia de louça. "Empregada boa é sorte...", diziam as vizinhas.

Minha avó morreu de repente e meu avô lentamente. Vovó deu um suspiro e finou-se; meu avô foi ficando lelé. Hermínia levava-o para passear e ele gostava de ver a estrela de neon da cervejaria Princesa, onde ele me levava sempre na infância.

Depois, ela foi morar com ele num apartamento de Copacabana, onde ele falava confusamente sobre seu passado. Consciente da memória frágil, um dia perguntou-me rindo: "A vida não tem sentido ou sou eu que estou gagá?" Ela cuidou de meu avô até o fim e me ajudou a pô-lo no caixão da Santa Casa.

Depois da morte de vovô, Hermínia foi trabalhar com minha mãe, mas não foi feliz. Minha mãe tinha caído numa progressiva depressão bipolar tendo horríveis fobias, como a cisma de que o gato do vizinho a odiava e lhe mostrava as garras ferozmente. Hermínia levou-a a um centro espírita "linha branca" e a vidente lhe garantiu, com voz grossa de caboclo, que ninguém a perseguia, nem o gato. Não adiantou; piorou, pois mamãe acusou-a de ter parte com o demônio do centro espírita. Hermínia aceitou a humilhação com a resignação do sofrimento pobre, aprendido entre milharais e pastos de capim-gordura.

Papai não falava quase, lendo revista na sala, de pijama, ouvindo os delírios de mamãe, pastoreada pela criada, virada em acompanhante.

Até que morreram os dois. Só ficou Hermínia, que foi morar com vagas primas em Caxias. Todo mês, eu mandava um dinheiro fixo para que cuidassem bem da minha babá já velhinha — se ela morresse, acabava a grana.

De vez em quando, ela me telefonava de Caxias. Dava para ouvir no fone o outro mundo onde ela vivia, agora no presente, com sons de rádios evangélicos, gritos de criança, latidos, ruídos de subúrbio longínquo. Sua voz soava um pouco como um anseio em busca do passado que tinha acabado. E como era estranho ouvi-la no presente, sua voz longe de nossa casa, como se ela tivesse sobrado da casa desabada, procurando meus avós! Ao telefone, sua voz ficava "tatibitate" como se eu ainda tivesse 7 anos: "Oi, Arnaldinho, meu amorzinho?"

Até que, um dia, ligou uma das primas para informar que Hermínia tinha feito a "passagem" de noite. A "passagem" fora muito calma: ela estava deitada na cama abraçada na estatueta de São Jorge.

Quando ela ainda era viva, de vez em quando eu mandava um táxi buscá-la. Ficava comigo no apartamento e eu a beijava muito, pois não havia assunto possível. Me tratava sempre como menino e ficava um pouco constrangida de estar na poltrona de veludo de mamãe que ela bem conhecia. De repente, se levantava e ia para a cozinha. Entrava com ar de titular diante da empregadinha e começava a lavar a louça. Eu protestava, mas ela fazia questão. Lavava pratos e copos com zelo. "Olha aqui o copo de cristal que seu avô gostava tanto..." Ouvindo os barulhos da louça, parecia mesmo que o passado tinha voltado.

* * *

Estou no passado — há quarenta e sete anos. São onze e meia da noite do dia 31 de março de 1964 e eu assisto a um show que inaugura o teatro da UNE, com Grande Otelo e Elza Soares, para celebrar o socialismo. Acho estranho que festejem uma vitória sem a tomada do poder. Mas um companheiro me abraça eufórico: "Já derrotamos o imperialismo; agora só falta a burguesia nacional!" Não vejo o Tio Sam de joelhos ali, mas fico animado: "Viva!" Estou felicíssimo: tenho 20 anos, o socialismo virá, sem sangue, sem balas e com a ajuda do governo do Jango. Sentíamo-nos o "sal da terra".

Meus sofrimentos adolescentes se compensavam por minha grande esperança: "Conscientizarei as massas pobres do país para um futuro justo e feliz." Cheio de fé, vou para casa, mas voltarei cedo à UNE, onde haverá uma reunião política às nove da manhã.

Estou de novo dentro da sede, ouvindo as diretrizes do dirigente de nossa "base" do PCB, um comuna velho de nariz de couve-flor, e penso: "Como ele pode fazer revolução com esse nariz?" Ele nos garante que o Exército está do lado do povo, porque tem "origem de classe média". Sinto-me protegido pelos bravos soldados do povo, quando começo a ouvir gritos e tiros lá fora. Corremos todos para a sacada e vemos dezenas de estudantes que apedrejam a fachada, atirando para o alto. "São os estudantes de direita da PUC. Temos de reagir!", diz alguém. "Com quê?", pergunto. Onde estão as armas revolucionárias? Nada. Ninguém tem uma reles "*beretta*". O dirigente da "base" fica com o nariz muito branco, que antes era "pink". Nuvens de fumaça entram pelas salas. A UNE está pegando fogo. Estudantes armados invadem a sede com garrafas de gasolina. O teatro queima. Fujo por uma janela dos fundos, onde rasgo a calça num prego. Apavorado, corro para a porta da UNE, ostentando naturalidade, para ver o que está acontecendo. Reconheço vários colegas ricos de minha faculdade, com revólveres na cinta, numa selvagem alegria destrutiva. Dois colegas da PUC me veem. Eles vêm com armas na mão, afogueados pela guerra santa. "E aí, cara!? Grande vitória, hein?! Acabamos com esses comunas sem-vergonha!", me gritam, arquejando de contentamento. Se tivesse a automática 45mm de meu pai milico, entraria num duelo de "*western*" com eles. Eles me olham. Estou pálido, mas tenho a dignidade de não dizer nada. Viro as costas e saio andando pelo asfalto, esperando o tiro me derrubar. Procuro com os olhos os bravos soldados do "exército democrático". Surge um comboio de tanques. Passa por mim um companheiro que sussurra: "Some, porque o Exército virou casaca!" Vejo os tanques, com os "recrutas do povo" montados em cima, e entendo que minha vida adulta está começando, mas de cabeça para baixo. Outros companheiros se dispersam à distância, enquanto a UNE arde. "Ali, estão queimando os nossos sonhos", penso, "ali, queima a 'libertação do proletariado', ali morre em fumaça minha juventude gloriosa, queima um Brasil que me parecia fácil de mudar, um Brasil feito de esperanças românticas".

Lembro-me do comício da Central, quinze dias antes, quando senti um arrepio vendo o Jango falar em "reformas populares" sem convicção, entre as tochas dos petroleiros e perto da mulher Tereza, vestida de azul, ausente e linda. Lembro-me também das velas acesas nas janelas da cidade pela classe média, de luto contra Jango, e lembro que pensei: "Isso vai dar bode!"

Agora, a UNE pega fogo como uma grande vela. Vou andando para longe dali, para o Centro, e as árvores do Russel me ameaçam com seus galhos, vejo a estátua de São Sebastião flechado e me sinto mártir como ele, passo pela praça Paris, onde Assis Valente se matou com formicida, e penso em sua música: "Está na hora dessa gente bronzeada mostrar seu valor!.."

Chego ao Passeio Público cercado de carros de combate e vejo que o mundo mudou. Sento-me perto de um laguinho e fico vendo os rostos das pessoas, mendigos com latinhas e sacos de aniagem, uma mulher bêbada dançando, vejo o Rio pela primeira vez, como se tivesse acordado de um sonho para um pesadelo. As pessoas se movem em câmera lenta, as buzinas estão altas demais no trânsito engarrafado e eu me sinto exilado em minha própria terra. Na Cinelândia, grupos de soldados montam guarda. São recrutinhas fracos, com capacetes frouxos e cara de analfabetos; o povo monta guarda contra nós. Numa vitrine, televisões mostram o Castelo Branco entre generais. Este é o novo presidente? Parece um ET de boné. Vou andando, sem lenço e sem nada. Paro na porta de um cinema onde passa *Lawrence da Arábia*. Finjo que olho os cartazes. Alguém me bate no ombro; viro em pânico e vejo um velhinho vendedor de loteria, que me segreda: "Sua calça está rasgada atrás..." Apalpo o grande estrago do prego da UNE e saio mais tonto. "Meu Deus... Eu que imaginava os grandes festivais do socialismo com Lenin e Fidel, eu que era um herói, virei um bunda-rasgada!" Percebo que um Brasil ridículo, que sempre esteve ali, está vindo à tona. Ninguém quer me prender. Sou invisível. Vejo um ônibus que vai para minha casa. Me jogo dentro. Passo em frente à UNE e não quero olhar, pois sei que vou ver o fogo, bombeiros apagando. Não resisto, e o casarão preto passa, entre brasas e fumaça. Chego em casa, trêmulo. Minha mãe está com duas tias na sala. Uma delas, carola de igreja, que marchou pela Família, Deus e Liberdade, me beija muito e diz: "Toma aqui essa medalhinha de Santa Terezinha do Menino Jesus pra te proteger...!" E pespega em minha blusa a santinha com uma fita vermelha. Meu desespero é indescritível. Minha mãe me abraça chorando: "Ele não é comunista, não...! Ele é bom, bom! Está pálido, meu filho... Come esse bolinho de milho..." Fico olhando os bibelôs da sala, mastigando o bolo. Vejo os elefantes de louça, o quadro do Preto Velho, os plásticos nas poltronas, o lustre de cristal, orgulho de mamãe. E, afinal, entendo que minhas tias estão no Poder e que eu não existo.

Crônicas originalmente publicadas em *Amor é prosa, sexo é poesia* (Objetiva, 2004), *Pornopolítica* (Objetiva, 2006) e *Invasão das salsichas gigantes* (Objetiva, 2001).

E depois...

Amor, sexo e um outro sentimento

Já percorri caminhos de amor e sexo, mas tudo fica difuso quando tento me lembrar dos momentos de êxtase. O prazer se esvai na memória. Já amei mulheres só depois que as perdi. Já odiei ser amado, já amei por narcisismo. Quantos "amam" para humilhar o outro com seu "imenso" amor? Quantos "amam" por egoísmo?

Nos anos 70, amor e sexo passaram por uma revolução confusa. As paixões eram súbitas e as separações, sem aviso. Havia um sexo experimental no ar que almejava o "desregramento de todos os sentidos". Eram caretas a possessividade, a fidelidade. No entanto, as emoções fundamentais estavam ali, disfarçadas mas presentes: posse, ciúme, medo.

O que faz o amor tão inquietante é o medo da rejeição, da perda do objeto ou, mais simplesmente, da dor de corno. Eu já sofri monumentais dores de corno e elas me ensinaram muito. Acho mesmo que o homem só vira homem quando recebe chifres didáticos. Só aí o macho onipotente conhece o desespero da condição humana. A dor de corno é física, é uma experiência de morte. A mulher te diz: "Vou embora com fulano porque não te amo mais!" Aí, você morre. E a pessoa perdida passa a ter um halo divino. Eu já escalei muro com cacos de vidro para ver a janela acesa de uma amada, eu já rolei no meio-fio por causa de mulher. Se o amor te preenche de sentido, a dor de corno te feminiza, te exclui do universo, você fica ridículo, pois o corno não inspira compaixão, apenas um deboche dissimulado. Por isso, vou narrar um caso que nunca contei para ninguém.

Uma vez, há mais de trinta anos, fui largado por uma mulher, assim... De repente. Ela entrou em casa de madrugada e declarou: "Vou embora com fulano amanhã de manhã." E desmaiou num sono profundo e desesperado. E eu fiquei sentado, ouvindo o pêndulo do relógio até o dia clarear na janela, como uma ferida se abrindo. Nada pior que sofrer de manhã. É mais terrível a solidão com o sol na cara, na rua, as pessoas trabalhando, rindo, e você como um zumbi na cidade irreconhecível. Copacabana virou um pesadelo nos dias seguintes. Eu andava como o chamado "farrapo humano" pelo Posto Seis. Tinha vontade de cortar a cabeça para parar de pensar nela. Tudo era ela.

Uma noite (de noite, a solidão dói menos...), entrei bêbado num botequim ali do Posto Seis, perto da Galeria Alaska. O corno bêbado tem dois estados básicos: ou está caído no meio-fio chorando lágrimas de esguicho ou tem desajeitados arrancos de ousadia, com esperança de parar de sofrer. Entrei no boteco a fim de aprontar alguma coisa, um ato, um fato que me fizesse entrar de volta na vida normal. "Me dá um limãozinho aí", ordenei com pastosa determinação. O paraíba botou a cachaça. Olhei para o lado, feroz, ostentando macheza, e vi duas prostitutas perto do balcão, tomando média com bolo. Uma delas, branquinha e fraca; e a outra, preta, preta mesmo, zulu, gorda e colorida pela luz de neon que brilhava em seus braços negros. Chamei a preta, ostentando confiança: "Vamos até lá em casa etc. e tal?" A preta me olhou, pegou a bolsa e saiu rebolando na frente. Meu desejo era a conspurcação, uma forma invertida de purificar-me, prática que muita gente conhece. Atravessamos a rua molhada até o prédio onde eu morava. Ela, calma; eu, trôpego, tentando a linha reta.

Ela chamava-se Áurea — nunca esqueci esse nome luminoso. Áurea subiu no elevador me examinando, a mim, cambaleando e babujando as habituais bobagens de freguês. Ela, quieta, me olhando. Entramos em casa e eu desabei numa poltrona, enquanto Áurea olhava a casa em silêncio. Olhou em volta a bagunça dramática. Viu roupas de mulher jogadas numa poltrona (eu dormira agarrado numa saia) e perguntou onde estava minha esposa. Pronto; foi a senha para uma longa queixa de dores, uma confissão de meus infortúnios. Não sei por que, talvez por me ver diante de uma experiente mulher "da vida", desfiei todos os meus segredos, minhas dores mais vergonhosas, minhas lágrimas mais íntimas, para Áurea, que me olhava com um sorriso receptivo, seios francos, quadris e coxas negras, me ouvindo, me ouvindo. Estava ali uma profissional pobre, vida dura, sofrida, atenta àquelas queixas burguesas que eu derramava. Seu rosto não era nem de desprezo nem de falsa simpatia. Depois de ouvir meu papo longo (corno adora reclamar), ela começou a me dizer frases simples, óbvias, mas com uma doçura e compaixão que eu nunca vira antes: "Mulher não presta, não liga, não, o tempo resolve tudo, você é moço..." Depois, Áurea se levantou e disse que eu precisava me organizar, não ficar fraco. Lembro-me de que ela disse: "O corpo cai, mas a alma tem de ficar de pé...", algo assim. Olhou em volta e comentou: "Este teu apê está uma zona, hein?" Em seguida, foi até a cozinha, onde pegou os pratos sujos, empilhados, pedaços de pizza no chão, panelas gordurosas, e, com a destreza linda das mulheres pobres, botou tudo brilhando em 15 minutos. Arrumou tudo nas prateleiras, foi até minha cama de corneado e ajeitou lençóis e colchas, dobrou minhas roupas, ajeitou travesseiros.

Eu olhava tudo, tonto, e caí na cama. Áurea ajeitou mais coisas, se deitou a meu lado e me botou entre seus seios de mucama, ama de leite, passando a mão em meus cabelos e repetindo que "mulher não vale uma lágrima". E foi assim que ela me fez amor, a mim, passivo e soluçante. Depois, Áurea se levantou e foi embora. Não aceitou o dinheiro que eu tentei lhe dar. E sumiu, escura, na noite negra.

Até hoje, quando me sinto vazio, lembro-me daquela noite em Copacabana e de Áurea, a negra babá de minha dor de corno.

A mão invisível do mercado

Depois do crash das bolsas no mundo, a Equipe Econômica de Emergência (EEE) ficou em assembleia permanente, com os técnicos fechados no imenso hall de reuniões. "O QI mais baixo ali era maior que qualquer desvalorização cambial", dissera o supervisor do FMI. O ruído nas ruas era insuportável.

Todos temiam que algo terrível acontecesse; logo, era preciso que os discursos se emendassem em cadeia, criando uma melopeia ininterrupta de frases em "economês" que os acalmassem e abafassem os gritos que vinham de fora.

Qualquer vírgula mais longa deixava entrar uivos da praça em volta da assembleia. O presidente aumentou o volume do som, provocando uma sutil radiofonia que matava o vazio das pausas.

Será que o pacote econômico daria certo? Que temiam aqueles homens cultos, um leque de ph.Ds? Algo se armava nas ruas; ouviam-se aplausos e hinos, roncos de fera, de urso, onça, o quê? Era preciso falar sem pausas.

Um pálido economista tentava ao microfone um tom isento de acadêmico, traído por suas mãos trêmulas: "Os mercados financeiros não concedem aos países o benefício da dúvida!", disse, com orgulho da frase.

Outro professor, elegante e amargo, ergue a voz de barítono:

"Temos de agir rápido, porque os juros estratosféricos vão explodir a dívida pública. Teremos a ruptura do tecido social!"

A lógica das análises era impecável. Mas ninguém sabia o que fazer. Espalhados pela sala, os economistas e técnicos pensavam nas barreiras do Congresso, na lentidão endêmica brasileira, na testa curta dos fisiológicos, no rancor da oposição, enquanto a voz dos manifestantes ecoava nas ruas.

O economista-barítono continuou: "Com a queda do fluxo de *hot money*, o ajuste exige redução dos salários nominais! E logo! Senão a recessão se aprofunda e o sistema entra em colapso!"

Os calafrios foram intensos. O ruído surdo engrossou como o de um imenso bucho, um grande intestino, um pulmão arfante, cortado pela agonia de sirenes. Era o povo lá fora que eles temiam? Não. O "povo" apenas boiava nesta coisa informe que se alargava em volta do imenso prédio. O que eles temiam? Era a oposição? Não. Ali dentro da assembleia havia adversários cooperando por medo. Eles temiam algo mais brutal que vitimaria direita e esquerda. E todos falavam sem parar, para abafar os ruídos de fora.

Lá na rua, se armava uma nova língua feita de séculos de silêncio, como um temporal se formando. Essa nova língua já era falada em escuros desvãos do país, em fundos de favela, em rasos de caatinga, em grotões de flagelados. Não era a fome, nem a miséria. Era mais que isso, era um derivado disso, um miasma, uma gosma que crescia, era a fundação de uma lógica de grunhidos. Estes sinais já estavam nos grandes rituais evangélicos, no exorcismo em massa de demônios, na nova ética dos comandos vermelhos, na organização do horror. Esse grande Bucho respirava. Como parecia débil a razão econômica, diante dele. Para enfrentá-lo, seria construída uma nova cultura de extermínios, uma política do horror, providências que excluíssem a esperança.

Outro economista, com grandes olheiras, atacou:

"Sem um gesto firme não conseguiremos estancar a fuga de capitais!"

Estouraram ruídos novos, mugidos longos como o sacrifício de mil bois. O economista-barítono voltou, falando bem alto: "Temos de controlar com mão de ferro o agregado monetário M4! Nem que seja pelo recolhimento compulsório dos depósitos!"

O economista-barítono tinha uma beleza trágica. Seus anos de poder e experiência tinham desembocado no desespero, ele sabia. Olhava aquela centena de homens de ternos cinzentos e todos pareciam irreais, dentro da névoa fluorescente das lâmpadas. Todos suavam muito, apesar do ar-condicionado.

Enquanto ele falava do "pacote" e do *crash*, pensava secretamente: "A Índia ao menos tem um milenar sistema de castas, uma religião autorreguladora. Aqui, sem rituais, como é possível deter a onda de miséria que virá?"

Seu desejo era urrar, fugir, mas era preciso continuar falando elegantemente a língua da lógica econômica: "Precisaremos de 120 bilhões para fechar as contas, e, mesmo que nos custe sangue suor e lágrimas, conseguiremos domar o monstro da inflação!" Alguns sorriram, pálidos. "Deus, como sou autoconsciente e respeitado...", meditou, melancólico e orgulhoso.

"Perderei o charme desta tristeza iluminada? Perderei esta *grandeur* dolorida de que o mundo não corresponde a meus desígnios racionais?", meditou ainda. Falava sobre fluxo de capitais, mas pensava: "Talvez seja tarde demais para ideias." Um medo gelado corria por suas costas. "Nunca incluímos o 'medo' em nossos planos. Nunca pensamos antes no Grande Bucho em nossos cálculos!" ("Eu vou para Londres..." Sorriu para si.) Antes, tudo parecia protegido. O Bucho já esteve afastado pelas baionetas. Depois, o Bucho esteve soterrado trinta anos pela correção monetária. Agora, nada poderia detê-lo. Súbito, o economista teve um estranho tesão pela barbárie. Sussurrou para si mesmo: "Talvez sejamos salvos pela razão bárbara! Talvez precisemos de uma coisa mais animal, profana, feita de gritos e perseguições, uma desordem bruta e vital, com uma beleza de assassínios e rios de sangue!" Mas ele tinha de fazer respiração boca a boca com a razão. Foi enfático, com sua bela voz grave, para encobrir o sinistro ruído do Bucho lá fora, respirando como uma fera.

"Não acredito em catástrofes! Acho que o caos não chega nunca! Temos de ser otimistas! A 'mão invisível do mercado', como dizia Adam Smith, vai regular tudo!"

Foi então que, cumprindo uma profecia antiga de Kafka (não de Alexander, do FMI, mas de Franz, em 1919), veio do céu um gigantesco punho fechado e esmagou o prédio em pedaços, com cinco golpes em rápida sucessão.

A beleza trágica da miséria

Meu primeiro trabalho em cinema foi com o Leon Hirszman, em 1963, como assistente de direção em um documentário no interior do Nordeste sobre fome e analfabetismo. Foi meu primeiro contato com a miséria brava, para nós que víamos a "política como uma estética".

Quando estávamos fundando o Cinema Novo, tínhamos uma profunda atração pela miséria, não apenas por nosso humanismo de esquerda; tínhamos fascinação estética por aquele mundo descarnado, feito de ossos e caveiras.

De câmera na mão, percorremos as caatingas desertas com o suspense de estarmos num filme de Antonioni, como se estivéssemos no centro de um grande Malevitch, um "branco sobre branco" miserável.

O vazio sempre foi uma fascinação para a arte moderna, e o sertão seco tinha um rigor formal que evocava João Cabral, o *Waste Land* de Eliot e, suprema paixão na época, Samuel Beckett, o escritor que eu amava por seus seres mutilados, perdidos em saaras metafísicos, personagens de um "nada" que a Europa nos mandava com o "absurdismo". Tínhamos a dor da miséria, mas queríamos que a tragédia social se expressasse numa espécie de triunfo poético. Para nós, o "nada" era no Nordeste.

Andávamos com a câmera na mão pelos rasos e favelas do sertão, entrevistando camponeses. Mas, diante da câmera, surgia apenas o "pobre homem" roubado de tudo, até da consciência de sua dor. Em vez de grandes momentos dramáticos, só conseguíamos filmar vagos resmungos sobre "Deus quis assim" ou "o governo pode ajudar".

Os flagelados da seca não "cooperavam" muito com o cinema. Os miseráveis estranhavam nossa "compaixão". Eles achavam que não valiam nada. Os miseráveis não sabiam que sua vida era "nosso horror".

De certa forma, eu sofria mais por eles do que eles mesmos. E nós, comunas dessa época, víamos no miserável a suja bandeira do futuro, a ossada poética de onde ia surgir a nova vida. O nordestino pobre era para nós uma alegoria da revolução, o miserável era nossa salvação. Mas, diante da câmera, só rolava o vazio de um discurso humilde, abobalhado.

Foi então que chegamos à rua do Sol. Com esse nome grandioso, a rua do Sol não era nem rua. Era um beco sujo no fundo de uma favela, a duas horas de João Pessoa. Entramos numa casa pequena, entre porcos e crianças. E de repente tudo aconteceu. Como uma explosão de luz, tudo ao mesmo tempo, como uma máquina perfeita.

Num canto da casa, um velhinho magro e sem o braço direito tremia sentado num banco. Tinha a barba branca e a pele cor de barro, e seus olhos eram duas brasas vivas. Ele falava sem parar algo como uma música indistinta, enquanto ao fundo uma velha magra ria como uma boneca mecânica de parque de diversões.

No meio da sala de terra, crianças nuas choravam, outras riam e uma mulher nova, morena, falava alto, com marcas de ferimentos nos braços, como cortes de estilhaços caídos. A mulher gritava para nós, que invadimos a casa com a câmera na mão: "Olha, olha lá no teto! Olha no teto os restos do menino! Ele explodiu e os restos dele bateu nos meus braços e foi avoando para o teto, me molhou tudo, não foi, mãe?"

E a velhinha ria, ria como bruxa de teatro infantil, e o avô sem braço tremia, e nós não entendíamos nada, e eu sentia que alguma coisa maior surgia ali na sala, e a câmera rodava: "E o menino tinha a cabeça grande desde que nasceu, e ela foi crescendo, crescendo, e ele ficava sempre deitado ali no caixotinho, e a cabeça dele foi crescendo do tamanho de uma melancia, e só os olhinhos olhava a gente, e tinha um povo que vinha ver e dizia que ele era enviado de Deus, e até que ontem foi aquele estrondo forte, juro, e quando eu olhei tava tudo molhado e até no teto tinha coisa dele grudada!"

A velha no fundo do barraco ria sem parar, as crianças pulavam de excitação: "Avoou! Avoou!" E a câmera foi pegar o rosto da velha que ria. De um alto-falante da rua começou a sair uma valsa vienense (o que fazia o *Danúbio azul* na rua do Sol?) e o clima foi ficando um misto de arrepio de horror com precisão.

Tudo compunha o quadro de perfeição: os gritos, os risos, os voos da câmera para o teto da casa procurando pedaços de miolo, a valsa. A câmera foi para o velho que estava como que cantando uma melopeia, uma ladainha de arame com som metálico, e ele apontava com o único braço para a câmera: "Retrato? Tira retrato de mim! Eu sou o bagaço do engenho!"

Ele tremia, tremia. "Eu passei por dentro da engrenagem do engenho e meu braço ficou preso lá e depois eu peguei a tremer e tremer e já estou tremendo, moço, faz 11 anos desde aquele dia em que a mula do engenho deu um arranco na roda e meu braço entrou na engrenagem e virou bagaço, e foi porque a mula deu um arranco com força e caiu morta, ainda dependurada na vara da moenda, e a mula eles levaram morta embora e meu braço ficou lá no meio do melado e desde aí eu não tenho mais serventia. Eu não morri não sei por quê. Eu queria ir atrás do meu braço!"

E a música tocava no alto-falante agudo da rua (por que uma valsa?), e a máquina foi se fechando, o palco foi se formando, o quadro foi se formando (o quê? Dürer, Grünewald?), uma massa abstrata de vertigem se formava no ar (o quê? Kandinsky?) e a filha do homem chegou perto gritando: "Tira o retrato da cabeça dele lá no teto!"

E a velha começou a rezar alto no fundo, e o velho gritava para nós, com voz de metal: "Vocês querem me ajudar? Por que não me matam? Me mata, pelo amor de Deus! Ela não quer me matar!"

"Eu não, pai, cruz credo!", e a filha dava gargalhadas.

"Me mate, seu retratista, são 11 anos sentindo dor, eu quero ir atrás do meu braço!"

Eu não estava diante da tragédia clássica, em que a morte é a "moira" temida; ali a vida era o medo máximo, ali a vida era uma morte falada. Não se tinha o medo de sair da vida; o medo era de ficar nela. O “nada” viria como alívio.

“Me mate, meu companheiro!”, o velho gritava, e no fundo a velha já cantava, e a valsa metálica vinha de Viena, e estava aceso ali o drama em flor, ali surgiam Bosch, Sófocles, ali estava Shakespeare, finalmente a arte no meio da miséria!

“Oh, céus de Munch! Oh, Goya entre os telhados!”, cantei como um pequeno-burguês culto. E saí com os olhos cheios d’água, que secaram assim que cheguei à luz da rua do Sol.

Por motivos marxistas (“muito absurdista”, disseram), a cena não foi montada no filme, mas até hoje guardo o horror puro na alma (Conrad?). Entre gargalhadas e mortes, sob um céu de Francis Bacon, a cena era Beckett puro. Os intelectuais já podem sossegar. O “nada” é no Nordeste.

No Cinema Novo, éramos românticos de Cuba

Tenho uma profunda saudade do Bar da Líder. Vocês me perguntarão: que diabo é o Bar da Líder? Eu respondo: o Bar da Líder era a minha juventude.

Lá, na rua Álvaro Ramos, em Botafogo, foi arquitetado o Cinema Novo. Era um botequim tímido em frente ao Laboratório Líder, onde revelávamos os nossos primeiros filmes. Tinha dois garçonzinhos: um espanhol quase anão e um cearense cafuzo que se esbugalhavam para nós, os jovens e faladores do Cinema Novo.

Hoje o bar virou uma "acrílica" lanchonete. Mas, desse tempo mágico, ficaram as lembranças: as moscas no bico dos açucareiros, as cadeirinhas de madeira, os tampos de mármore, os chopes, os sanduíches de pernil, os ovos cozidos cor-de-rosa, o cafezinho em pé. E era ali, no meio desses insignificantes objetos brasileiros, que traçávamos os planos para conquistar o mundo. Os cineastas cariocas de hoje se reúnem em torno da Conspiração, uma empresa de jovens talentos. Esse nome descreveria bem o que fazíamos em 67: conspirávamos. Conspirávamos contra o "campo e contracampo", conspirávamos contra os *travellings* desnecessários, contra o *happy end*, contra a fórmula narrativa do cinema americano e achávamos poeticamente que, se a língua de nossos filmes fosse diferente da língua oficial, estaríamos contribuindo para a salvação política do país. Claro, nossa câmera era um fuzil que, em vez de mandar balas, recolhia imagens para "libertá-las" aos olhos dos espectadores. Achávamos que, mostrando a realidade brasileira, misteriosamente, contribuíamos para mudá-la. Não sabíamos ainda que havia também uma "realidade oficial" que resistiria em cores e ao vivo, com efeitos especiais e som *dolby*, ao ataque guerrilheiro das metáforas pobres. Não sabíamos ainda da bruta violência de Hollywood com seu embargo a nossos filmes, como havia o embargo contra Fidel. Nós éramos os românticos de Cuba. Nossas câmeras eram pobres, nossos filmes, preto e branco, nosso som, precário e, no entanto, a fome de mostrar o olho do boi morto, o mandacaru podre, as mãos brutas dos camponeses, a classe média boçal fazia-nos desprezar até o aperfeiçoamento técnico, numa espécie de mímica do cotidiano proletário. Transformamos nossas misérias em teoria, numa "arte povera", em que a precariedade seria mais profunda que um "reacionário progresso audiovisual". Lembro que o Glauber esbravejava contra a tecnologia; o doce baiano no seu radicalismo, ali, de chinelo dentro do bar, xingava os aparelhos modernos, sob o olhar perplexo do espanholzinho que servia chope. E nisso havia uma ingênua verdade, pois o cinema moderno perdeu a magia de antes, porque quanto mais se aperfeiçoam as maneiras de penetrar na "realidade", mais distante ela fica. Explico. Quanto mais se fazem descobertas, mais fundo é o túnel do mistério. A máquina do mundo, quanto mais aberta, mais iluminada, fica mais vazia e misteriosa. A perfeição reprodutiva descreve bem o mundo, mas não o condensa em poesia. Hoje, é imensa a quantidade de imagens que invadem nossos olhos. Tantas são, que se anulam. Tanta é a exposição do mundo, que não vemos nada. Na época, a "estética da fome" de Glauber transformava nossa fome em nossa riqueza. Nossos filmes eram metáforas deles mesmos; na sua precariedade morava um retrato do Brasil ao avesso. Daí nossa esperança naqueles anos utópicos, daí nosso desprezo por dinheiro, pela caretice e pelo sucesso burguês; íamos aos festivais europeus como "pracinhas", xingar os críticos franceses, atacar o "velho" mundo decadente que, por sinal, se encantou conosco através dos *Cahiers du Cinéma* e da *Positif* e nos botava nas nuvens, culpados com nossa fulgurante miséria cheia de orgulho. Por isso, o Bar da Líder de noite parecia aquele barzinho do Van Gogh, jorrando luz, com estrelas enormes girando no céu de Botafogo. Éramos assim em 1967.

Com a invasão do primeiro mundo nos anos 70, estamos repletos de imagens muito mais velozes do que podemos processar.

E o Bar da Líder foi mudando. Mudou de dono, mudou as mesinhas de mármore para fórmica, mudou o balcão sujo para aço escovado, mudou o espanholzinho para uma máquina de fichinhas, a Líder mudou também daquela rua, sumiram os cineastas loucos, de cabelos revoltos e camisas de marinheiros. Mudou o Brasil, mudou o cinema, mudei eu, mudaram alguns cineastas da esquina da Líder para outra vida. Também não sabíamos do "embargo" da morte.

Hoje, brasileiros me perguntam: "Quando vais voltar a fazer cinema?" E eu: "Sei lá, sei lá; o cinema ficou muito complicado, muito mercadológico." Mas sempre me dá uma profunda saudade do ovo cor-de-rosa que o espanholzinho me servia, em cima de um pedacinho de papel de pão, num pires de louça rachada, com um saleiro sujo do lado. Havia ali naquela precariedade, naquela vitrininha com pastel e empadinha, havia, ali no açucareiro cheio de moscas, uma alegria selvagem que nunca mais senti na vida.

A ilha de Caras e a utopia

Acordei de manhã e me vi transformado em alguém que não era mais eu. Não que eu soubesse, na noite anterior, quem eu era. Não. Sempre vivi em crise de identidade, sempre me olhei no espelho e me estranhei. Mas, agora, via espantado meu novo braço musculoso em que se gravara uma tatuagem que parecia uma marca registrada — *AJ Made in Brazil*; ao lado, havia um código de barras.

Corri para o espelho e dei um grito. Meu rosto era um pouco diferente, como se, por uma operação plástica, tivessem me transformado num duplo de mim mesmo. Havia em meu rosto uma alegria horrenda, um sorriso fixo que me dava um ar de androide, um "meta-arnaldo".

Sai correndo do quarto e um grande sol me cegou, enquanto explodia um som de pagode. Esbarrei numa grande cascata de camarões sobre uma mesa coberta de vatapás, leitões à pururuca, catedrais de ostras, uvas, mangas e abacaxis ao lado de um imenso cisne de gelo, no qual dormiam garrafas de champanhe.

Um grupo de maculelê batia espadas de pau ao som do pagode, capoeiristas rodavam, uma baiana distribuía acarajés para uma multidão de mulheres de seios enormes como air bags, bundas lipoaspiradas, todas com o mesmo sorriso gelado que eu vira em minha boca. Onde estava eu? Não tive tempo de descobrir, pois fui agarrado por um corpo macio de mulher que me mordeu a orelha, enquanto surgia um microfone e uma câmera com alguém que perguntava: "Vocês estão namorando?" A mulher se adiantou e então pude vê-la: uma gata perfeita, dourada, uma espécie de Gisele Bündchen com o sorriso de mil dentes, respondendo ao repórter: "Somos apenas bons amigos, nos conhecemos na festa da Phytoervas, em homenagem às sandálias Melissa, e passamos a curtir juntos o verão Natura, não é, Arnaldo?"

"Claro", respondi, "e tudo isso graças aos produtos Grendene, que nos patrocinaram, graças também ao plano de viagens Avianca, que leva a felicidade e o amor a todo o Brasil!" — ecoei, percebendo em pânico que minha voz saía digital e soava feliz, apesar do pavor em meu coração.

"Agora vamos ao jet ski, *amore mio*!", gritou a moça, puxando-me pela mão. "Sim!", berrei, "e Jet Skis Kawasaki, os preferidos por Collor!"

Em um segundo, eu cavalgava o jet ski, com a mulher agarrada em mim, sorrindo sempre. Só que, estranhamente, ela não falava mais comigo, como um robô desligado. Quando o jet ski embicou na areia, puxaram-me para um grupo de forró dançado por dezenas de socialites: Lair Macambira (31), Kristel Cibele (17), Becky Carvalho (82), Jandira Aranha, 49 (sic), Edilene Camarão (21), a rainha das empadas, Gerson Camarão, o rei delas (71), Lilibeth Cardoso, emergente dona do "Limpa Fossas da Barra", agora namorando o segurança Cadelão. Os colunáveis rebolavam em cima de garrafas, enquanto eu, em minha persistente luta contra a alegria, via uma sombra de tristeza nos crioulos sem dentes que tocavam os instrumentos. Baixou-me uma angústia terrível, enquanto eu fingia dançar. Minha namorada (qual seu nome?) ex-paquita, ex-piranha, ex-Justus segredou-me uma ordem feroz: "Sorria! Tristeza não é comercial!" Para disfarçar, joguei-me para a mesa de comidas, onde comi como um cavalo arrivista e bebi como um desertor do AA. Empapuçado, depois de sete caipirinhas de kiwi, sob o gentil apoio de Orloff, fiquei deitado no colchão flutuante "Sukita" na piscina ameboide, vendo a BBB em lágrimas que declarava a um repórter: "Sempre quis vir à ilha de Caras; agora posso morrer feliz!"

Eu ouvia a música de Zezé de Camargo, que dava uma canja, enquanto uns políticos gordos brincavam de passar a mão na bunda uns dos outros e as modelos comiam fios d'ovos, a baba amarela escorrendo das lindas bocas. A ilha parecia flutuar no espaço, mas uma nuvem de angústia ainda me cobria. De dentro d'água, um severo organizador me rosnou: "Ria, gargalhe! Você está aqui para isso!"

Foi quando mudou a música. As senhoras que esfregavam a bunda nas garrafas passaram a pular numa deliciosa "tarantela", tocada por italianos vestidos de tiroleses. Um esfuziante grupo de emergentes louras com cachorrinhos no colo fazia uma espécie de karaokê, de "au-aus", todas latindo ao som da tarantela. Senti uma mordida na nuca, junto com um flash. Minha namorada falou: "Mais alegre, hein? Vamos dançar sob o patrocínio das massas Al Dente?" O flash espocou de novo e fui tomado de uma súbita euforia. "Sim!!!", berrei, "nenhum homem é uma ilha!". E arrasei. Pulamos até o sol cair, em meio àquela nuvem de lulus, axé, bundas, cangas, bofes e piranhas, e comecei a sentir uma indescritível felicidade. "Sim! Por que não? Abaixo meu criticismo melancólico, viva o pagode, e eu gritava: 'Rebola agachadinha, vai na garrafinha vai!'"

Minha namorada parecia mais apaixonada por mim (qual seu nome?) quando eu berrava: "Viva o Brasil!" Aí, tudo começou a rodar e eu quis amar e dormir. Chamei minha mulher-axé: "Pra cama!"

Arrastei minha meta-Gisele para o quarto e a cama e, apesar de me sentir vigiado, tivemos um orgasmo que parecia falso e digital. Minha mulher-axé sorriu: "Puxa, como é bom amar em colchões Dreamland, importados pela King Beds."

Dito isso, ela virou para o lado e silenciou, como um boneco quando acaba a corda. Então, eu pensei: "Também realizei meu sonho. A ilha de Caras é a ilha da utopia possível!"

Eu era feliz. Apertei minha tatuagem com o código de barras e "deletei-me", fiz *log off* e dormi, com o sorriso aberto e fixo para sempre em minha boca.

A estética da corrupção

Eu adoro o vocabulário das defesas, das dissimulações, as carinhas franzidas dos acusados na TV ostentando dignidade, adoro ver ladrões de olhos em brasa, dedos espetados, uivos de falsas virtudes.

Quando explode um choro, é um êxtase. Alegam, entre soluços, que são sérios, donos de empresas impecáveis. Vai-se olhar as empresas, e nunca nada rola normal, como numa padaria. As empresas sempre são "em sanfona", *en abîme* — uma dentro da outra, sempre com holdings, subsidiárias, firmas sem dono, sem dinheiro, sem obras, vagando num labirinto jurídico e contábil que leva a um precioso caos proposital, pois o emaranhado de ladrões dificulta apurações.

Me emociona a amizade dentro das famílias corruptas. São inúmeros os primos, tios, ex-sócios, ex-mulheres que assumem os contratos de gaveta, os recibos falsos, todos labutando unidos. Baixa-me imensa nostalgia de uma família que não tenho e fico imaginando os cálidos abraços, os sussurros de segredo nos cantos das varandas, o piscar de olhos matreiros, as cotoveladas cúmplices quando uma verba é liberada em 24 horas, os charutos comemorativos; tenho inveja dos vastos jantares repletos de moquecas e gargalhadas, piadas, dichotes, sacanagens tão jucundas, tão "coisas nossas", que até me enternecem pela preciosidade antropológica de nossa sordidez.

Adoro ver as caras dos canalhas. Muitos são bochechudos, muitos cachaços grossos, contrastando com o *style* anoréxico das vítimas da seca, da fome — proletários "chics", "elegantérrimos" pela dieta da miséria. Os corruptos tendem para a obesidade e parecem acumular dentro da barriga suas riquezas sempre iguais: piscinas, fazendas, lanchões, miamis. Todos têm amantes, todos com esposas desprezadas e tristes se consumindo em plásticas e murchando sob litros de botox, têm filhos paspalhões, deformados pelas doenças atávicas dos pais e avôs. Aprecio muito bigodões e bigodinhos. Nas oligarquias, os bigodes corruptos são poderosos, impositivos, bigodes que ocultam origens humildes criadas à farinha d'água e batata de umbu, camuflando ancestrais miscigenados com índios e negros, na clara dissimulação de um racismo contra si mesmos.

Amo o vocabulário dos velhacos e tartufos. É delicioso ver as caras indignadas na TV, as juras de honestidade, ouvir as interjeições e os adjetivos raros: "ilibado", "estarrecido", "despautério", "infâmias", "aleivosias"... Os corruptos amam a norma castiça da língua, palavras que dormem em estado de dicionário e despertam na hora de negar as roubalheiras. São termos solenes, ao contrário das gravações em telefone: "Manda a grana logo para o f.d.p. do banco, que é um grande *#@, senão eu vou #@** a mãe deste *#&@ !!!"

Outra coisa maravilhosa nos canalhas é a falta de memória. Ninguém se lembra de nada nunca: "Como? Aquela mulher ali, loura, 'popozuda', de minissaia? Não me lembro se foi minha secretária ou não."

E o aparente descaso com o dinheiro? Na vida real, farejam a grana como perdigueiros e, no entanto, dizem nos inquéritos: "Ih!... como será que apareceram dez milhões de reais na minha conta? Nem reparei. Ah... Essa minha memória...!"

E logo acorrem os juízes das comarcas amigas, que dão liminares e mandados de segurança de madrugada, de pijama, no sólido apadrinhamento oligárquico, na cordialidade forense e sempre alerta, feita de protelações, desaforamentos, instâncias infinitas, até o momento em que surge um juiz decente e jovem, que condena alguém e é logo xingado de "exibicionista".

Adoro as imposturas, as perfídias, os sepulcros caiados, os beijos de Judas, os abraços de tamanduá, as lágrimas de crocodilo.

Adoro a paisagem vagabunda de nossa vida brasileira, adoro esses exemplos de sordidez descarada, que tanto ensinam sobre o nosso Brasil. Amo também ver o balé jurídico da impunidade. Assim que se pega o gatuno, ali, na boca da cumbuca, ali, na hora da "mão grande", surgem logo os advogados, com ternos brilhantes, sisudos semblantes, liminares na cinta, serenidade cafajeste e, por trás de muitos deles, dá para enxergar as faculdades malfeitas, as "chicaninhas" decoradas, os diplomas comprados. Imagino a adrenalina que lhes acende o sangue quando a mala preta voa em sua direção, cheia de dólares. Imagino os olhos covardes dos juízes que lhes dão ganho de causa, fingindo não perceber a piscadela cúmplice que lhes enviam na hora da emissão da liminar.

Os canalhas explicam o Brasil de hoje. Eles têm raízes: avô ladrão, bisavô negreiro e tataravô degredado. Durante quatro séculos, homens como eles criaram capitanias, igrejas, congressos, labirintos. Nunca serão exterminados — ao contrário, estão sempre crescendo. Acham-se sempre certos, pois são "vítimas" de um mal antigo: uma vingança pela humilhação infantil, pela mãe lavadeira ou prostituta que trabalhou duro para comprar seu diploma falso de advogado. Não adianta prender nem matar; sacripantas, velhacos, biltres e salafrários renascerão com outros nomes, inventando novas formas de roubar o país.

Adoro ver como eles gostam do delicioso arrepio de se saberem olhados nos restaurantes e bordéis; homens e mulheres veem-nos com volúpia: "Olha, lá vai o ladrão...", sussurram fascinados por seu cinismo sorridente, os "maîtres" se arremessando nas churrascarias de Brasília e eles flutuando entre picanhas e chuletas. Enquanto houver 25 mil cargos de confiança no país, enquanto houver autarquias dando empréstimos a fundo perdido, eles viverão. Não adiantam CPIs querendo punir. No caso do mensalão, durante suas defesas no STF, vimos que muitos contavam justamente com as deficiências da Justiça para ganhar. Pode ser que agora mude, depois desse julgamento histórico. Mas, enquanto houver esse bendito Código de Processo Penal, eles sempre renascerão, como rabos de lagartixa.

A bomba indiana

Dr. Abdul Kalam tinha sido um cachorro na sua vida passada. Reencarnara como menino de casta baixa; depois, por milagre, estudara num colégio católico em Bombaim, ficara com os olhos em brasa quando viu passar os aviões da Segunda Guerra, os *Spitfires* ingleses, e resolveu que seria um cientista para conquistar o mundo. Hoje, ele é o chefe do Programa Atômico da Índia, detonador das últimas três bombas subterrâneas e "superstar" em Nova Délhi, igual aos atores de cinema, coberto de pétalas de rosa por onde passa, com tapetes coloridos a seus pés. Dr. Kalam tem os cabelos longos como um John Lennon do subcontinente e disfarça como pode o sorriso de felicidade narcísica que lhe aflora aos lábios. Pudera — pois, em três dias, colocou a Índia nas páginas do mundo, a Índia, a terra dos sujos, o país-pária, o país da fome, das vacas tristes nostálgicas de bifes, dos cadáveres estalando nas fogueiras sagradas, da sopa de micróbios no Ganges, país exportador de garçons para a Inglaterra e choferes de táxi para Nova York.

Dr. Abdul Kalam me olhou triunfante, com os belos cabelos brancos sobre a pele de cobre.

E começou a entrevista cantando: "Sonhemos! Somos uma nação de um bilhão, transformemos nossos sonhos em ação!"

— O Ocidente não respeita a Índia?

— Não. Vocês nos acham inferiores, dentro do vosso julgamento de "mercado". Menos eficientes, menos limpos. Vocês inventaram a ciência... Ótimo! A gente copia e devolve... É o neocolonialismo antropofágico dos miseráveis! Ah! Ah! Agora, estamos mais parecidos com vocês: somos nucleares! Ah, ah! Nunca os miseráveis tiveram poder. Hoje, têm. Por isso, os EUA estão em pânico... Agora temos "potência fálica"! Nossa bomba atômica foi o Viagra nuclear que a Índia tomou!... Ah... Ah! Agora não somos mais eunucos, castrados....

— Vocês não têm medo de sofrer as sanções econômicas da América?

— Sempre comemos vento, ar, nada, lixo. Sempre transformamos merda em palácios de mármore de marajás, somos faquires históricos... Estamos prontos para sofrer; podem vir sanções, que só nos fortalecerão. Quanto mais sofrermos, mais perto estaremos de Krishna!

— O senhor acha que a Índia está politicamente preparada para ter bomba?

— Vocês acham que somos muito loucos para ter bomba, não é? Somos loucos, sim. Eu, por exemplo, tenho duas cabeças, uma cabeça ocidental e outra oriental... Eu acredito que fui cachorro e ao mesmo tempo não acredito, pois sei que é ridículo... Mas a Madeleine Albright, aquela perua gorda, vestida de azul-turquesa e bolsinha Chanel, decidindo o destino do Iraque e do Irã, não é loucura? E aquelas bonecas republicanas, o Gingrich, o William Cohen? Não são loucos? E o Ieltsin bêbado, vendendo bomba ao Irã? Meu amigo, existe loucura ocidental e loucura oriental. Pelo menos a nossa é mais poética... Milenar...

"Eu sou indiano, brownie, como eles chamam, mas sou muito mais culto que eles todos. Eu conheço Fermi, Oppenheimer, Einstein, Von Braun, sei tudo sobre o racionalismo do século XVIII, que vocês usam até hoje para justificar vossa onipotência de 'limpeza', vosso progresso 'sem fim'. Hoje, começa uma nova era: o Oriente armado! Acabou a 'Pax Americana', um mundo falsamente calmo, com os famintos afundando na lama... Os sinais estão no ar; se não forem as bombas da Índia, serão os micróbios do Iraque, os peidos da Líbia, a merda geral da África. O mundo americano vai ter de criar uma 'engenharia de tolerância' em relação a nós."

— O que seria uma "engenharia de tolerância"?

— O mundo não começou com a chegada dos *pilgrims* no *Mayflower*. Os americanos vão ter de engolir esta miséria santa e suja que está aqui há milênios! E nós vamos ensinar ao Ocidente a beleza do inútil! Contra a paranoia "progressista" de vocês, a contemplação poética do "prana"; contra a produção do mercado incessante, o nada florido dos Vedas; contra vossa limpeza, a imunda água do Ganges; contra a eficiência, a música da cítara... Ontem, antes de apertar o botão do detonador "termonuclear", eu rezei para Shiva e para Einstein... Ah! Ah! O mundo agora é religião armada! Existem quatro bombas: a bomba cristã, a bomba judaica, a bomba de Confúcio e Mao e agora a bomba hindu!! São os quatro cavaleiros do vosso apocalipse... Como canta o Gita: "Eu agora me transformei na morte... Eu sou o destruidor de mundos...!"

— Vocês vão criar uma nova Guerra Fria!...

— Quem está criando a nova Guerra Fria são os americanos na Otan, jogando os países contra a Rússia... Recomeçam uma Guerra Fria só pra vender armas...

— Mas, dr. Kalam, e o perigo da morte para o mundo?

— A beleza da morte pode dar mais paz ao Ocidente maníaco... A Índia vai trazer um novo sabor a este mundo chato, mercadológico, a este tédio administrativo. A bomba da Índia acabou com a complacência pós-moderna da América!

A vida do homem ocidental está imersa numa ideia de "progresso infinito"; logo, essa vida não deveria ter fim. Já que há sempre possibilidade de "mais progresso", quem morre no Ocidente jamais chega a atingir o pico, pois o pico está sempre mais além, no infinito. O homem ocidental só alcança uma parte ínfima da vida espiritual. Ele só capta o provisório, nunca o definitivo. A morte para vocês é um acontecimento sem sentido. E se a morte não tem sentido, a vida também não tem, pois o progresso sem significado faz da vida um acontecimento sem significado. E quem diz isso não sou eu... é Max Weber, vosso filósofo do desencanto. Logo, a bomba da Índia vai trazer-vos uma grande paz interior...

— E se o mundo acabar numa grande explosão?

— "O mundo acabará num gemido", como disse vosso poeta Eliot. E eu reencarnarei como uma águia branca, de longas asas, voando sobre as cinzas da humanidade...

Matupá: a história da crueldade

Prólogo:

Assaltantes na cidade de Matupá invadiram uma casa e fizeram reféns.

A população conseguiu que eles se entregassem à polícia.

Prometeram-lhes prisão normal, mas três assaltantes foram baleados e queimados. E um cinegrafista amador filmou o martírio dos três homens: a morte pelo fogo ao vivo. Inventou-se em Matupá um novo estilo de martírio. Um marco na história da crueldade.

1 — A câmera em plano geral mostra a locação onde a tragédia já começou.

Vemos o horror da brutal colonização sem amor: campo de futebol, lodo, lixo, a tristeza dos dias militares que criaram os incentivos da Sudam e que geraram a cidade.

Na lama, despojos do consumo urbano supérfluo: motocas, Voyages, Monzas, colonização inacabada e sem plano. O lado imundo do Brasil: esta coisa nem agropastoril nem urbana que virou o interior do país. Cheiro de Médici, de Figueiredo. Música: talvez uma rabeca tocando desesperada?

2 — Personagens principais: três assaltantes desgraçados, ineptos, fracos, quatro soldados da PM (que os salários não viam), um capitão de Ray-

-Ban (os clichês imitam a vida), uma freira alemã idealista, um prefeito fichado, um padeiro ferido de amor. Direção de Leno Durrenwald, tímido rapaz que filma casamentos, batizados e martírios.

Terríveis gritos de reféns e mulheres. No ar, maleita. Ao redor, o mercúrio na água dos rios. Começa um filme de horror, feito de balas, febres, detritos de Brasil Grande. Uma liga escrota de tecnologia, VT, Ninjas Kawasakis, esterco e sangue. Cores básicas: marrom-lama, rosa-pálido, verde sujo, céu de chumbo, sem horizontes. A terra treme.

3 — A ação se passa em torno da casa de Carlos Mazzonetto, dono de garimpo, com a família sequestrada na noite escura. A energia elétrica gerada a diesel faltara por causa do racionamento da guerra do Golfo Pérsico. Saddam nas bocas, presente. ONU, tudo. A grande transa sórdida entre todas as coisas. Interdependência de encrencas mundiais. O delegado aleijado Oswaldo Florentino comanda, trôpego, as negociações. Tudo vai mal. Tudo.

4 — Chega o capitão Edyr Macho, bigode, gordo, Ray-Ban, fala boa, dentes brancos. Um líder. As coisas começam a se organizar. Capitão Edyr é treinado e calculado. Alívio dos capiaus. Quase dá vontade de se entregar a um homem tão viril. Amor ao captor. "O que eu cumpro eu prometo", diz num ato falho. "Ou melhor... o que eu prometo eu cumpro." Vira-se para a câmera de Leno: "Agir com cautela... Há vidas humanas em jogo... Uma questão de nobreza... Sou pai de família... Trata-se da honra do prefeito... Etc." Capitão Edyr fala imitando o Cid Moreira.

5 — Plano geral. Aumenta a multidão cercando a casa. Centenas com escopetas e pistolas. Nem na paisagem horrenda nem nos homens, um só milímetro de amor.

Close-up óculos Ray-Ban do capitão reflete chegada de um Opala, que levará os assaltantes. A voz de Edyr seduz. Assaltantes soltam os reféns. Palmas para os reféns...

Na porta, o capitão Edyr conversa baixo com o prefeito de uma cidade vizinha, Ênio Lacerda. Um repórter, Aroldo de Souza, teria gravado em fita os dois combinando a execução dos bandidos.

6 — Uma imensa fila de homens armados. Em meio a este exército, uma frágil freira parece voar: a irmã da malária, a santinha Adele Schwalen, que deveria ir no Opala com os bandidos, a quem se prometeu 500 mil cruzeiros. Uma ilha de humanismo em meio à selva do quarto mundo. A

irmã que cura a malária flutua em pânico, forte sotaque alemão. Adele: "O dinheiro... Onde está o 'dinheiros' que vocês vão dar a eles?... Vocês 'prometeu'..." Ela adivinha o perigo. Busca ajuda. Nada.

7 — Travelling dos rostos cínicos e rudes... Uns riem... Todos já sabem o que vai acontecer. Tratam a freirinha como um pragmático trataria um idealista alemão, com o tédio carinhoso que os vividos dispensam aos ingênuos.

"O dinheiro? Estão fazendo o cheque, irmã... Calma, irmã..." Riem, cínicos.

A irmã da malária abre os braços como garça e parece que vai voar dali para os céus de Berlim. As asas do desejo. Adele sai de quadro, branca de dor. Ela já sabe.

O rosto excitado dos cidadãos. Há certo tesão no ar. Um sexo torto. Todos sabem o destino dos bandidos.

8 — Os bandidos estão sós. A voz de Edyr é sedutora, de hipnotizador. Ele denega bem para a câmera qualquer hipótese de desejar a violência. "Podem confiar em mim. Seria muita covardia matar vocês! Não estamos aqui para isto!"

9 — Corte abrupto para 5 mil homens gritando em plano geral. Armas erguidas.

A realidade vai virando televisão. A realidade vai ficando rala; em seu lugar começa a rodar um filme de sangue e dor. O último filme brasileiro. Nem a arte imita a vida nem a vida imita a arte. Tudo acontece agora como dirigido pelo jornalismo da TV. Onde começa a vida e onde acaba o jornalismo?

Ao sair, os bandidos provocam imensa decepção. Três pobres peões, ralos, frágeis, numa humildade desamparada e quase doce olham inermes a multidão que grita: "Mata! Mata!" Algemados aos braços dos PMs parecem quase gratos aos soldados. São colocados num carro.

10 — O Opala arranca com os três na paisagem de Médici, sob o céu de Figueiredo. Só que não vai o prefeito, não vai a freira, não veio o dinheiro. Vai com eles o chefe de segurança de um garimpo. Humildes, não reclamam. Vão calmamente para a morte.

11 — A cena começa com uma panorâmica em que vemos PMs contendo a multidão. Parecem defender os três. Mas a Pan continua e vai ao

rosto dos presos. Estão ensanguentados e batidos, ao lado do carro. Já apanharam muito. Da Polícia. Deitados no chão, são questionados por vários carrascos.

Câmera no chão. "Vocês não pensavam em trabalhar? Ser honestos?" A oposição trabalho versus crime fica espantosa neste lugar. Todos aventureiros, garimpos ilegais, predadores, com este papo meio *quaker* no Mato Grosso. O sinistro e fascinante é ver um criminoso julgando a vítima. O crime é de quem interroga — o assassino é justo; a vítima é o réu.

12 — Os bandidos estão perdidos. A multidão já não os reconhece como semelhantes. Eles já são os Outros.

Um responde que tem medo de morrer, com o rosto no chão; alguém grita *off-screen*: "Fala para a câmera, vagabundo!"

O último fiapo de realidade cai. Todo mundo começa a viver para a câmera e a morrer para a câmera.

Os soldados dão pontapés autoconscientes para o VT. Um dos bandidos no chão lança um olhar espantado para a câmera, como se quisesse fugir pelo tubo, e é empurrado para o *poltergeist* de seu destino.

13 — É um sacrifício sem Deus. Um ritual cego. Eles já estão caídos no chão de lama. Um já está morto. Os outros dois, baleados na nuca, ainda respiram. Cortaram a cena de caça, mas soubemos como foi.

Flashback: Policiais mandaram eles correr. Foram caindo, feridos sob rajadas. Uma espécie de farra do boi. Farra dos homens.

14 — Agora, as vítimas já estão no altar do sacrifício. Os três corpos de cristos sujos amontoados. Seminus. Nenhum soldado mais. A farra agora é civil. Tudo virou espelho. Os linchadores se exibem para o espelho infinito nos olhos dos sacrificados. Ou para a câmera. Isso é uma visão do inferno. Os carrascos não portam capuz. Eles querem ser vistos pelos moribundos, refletidos nos olhos deles, ouvidos por eles. Os olhos baços de um agonizante se viram para Alcindo Mayer, comerciante, que então (para ele e para a TV) pisa-lhe no pescoço três vezes, matando-o para que ele se veja morrer.

15 — Então, sobre os corpos dos moribundos adianta-se o padeiro Valdemir. O padeiro lança gasolina sobre os corpos vivos. As chamas explodem. Palmas, felicidade. Viva Matupá! Viva a Polícia!

Há uma mutação ética em Matupá e no Brasil. Não dá para analisar em termos de justiça ou moral. Foram atos despojados de valor. Um país sem rituais. Uma dança da morte, sem música, sem passos. É ridículo usar esse massacre para mostrar nosso escândalo, nosso humanismo. Certamente as anistias internacionais acalmarão suas consciências com mais essa exportação de sangue. Mas eles, os países ricos, estão ali, presentes, presentes desde o VT até o *ethos* que nos mandaram com o milagre dos anos 70 e a dívida correspondente, assim como Saddam estava presente no diesel que faltava. Paris-Matupá.

16 — O nível de martírio é horrendo. Um deles resiste e é queimado lentamente durante vinte minutos. Cravados. Um cristo de fogo. E fala. E grita: "Meu pai, me deixa morrer, paizão!"

Ele queima sem parar e, neste momento, é obrigado ainda a trabalhar para a televisão. E esse homem em chamas, baleado na nuca, uivando, é submetido ao interrogatório de um anônimo que lhe fala de trabalho e honestidade. O pior suplício talvez tenha sido esse: ser "alugado" por um pentelho na hora da morte. Surgiu aí um novo tipo de chato: o chato *in extremis*.

O espantoso é pensar que ninguém se escondeu da câmera. Todos queriam ser vistos. Por quê? Porque não havia um sentimento de culpa, medo do olho da Lei? Será que eles eram a Lei?

Será que eles eram o Pai que o último sobrevivente chamava enquanto era queimado vivo? Por que os supliciados chamam o nome do Pai?

A imagem se interrompe bruscamente. Não sobem letreiros. Não sobe música. Talvez pudesse tocar *Strange Fruit*, com Billie Holiday.

A riqueza oculta dos mendigos de rua

Mandaram-me fazer uma reportagem sobre os mendigos. Lá fui eu.

É infrutífera a viagem em busca de alguma riqueza no mundo da miséria. Encontrar algum grão de beleza humana nesta lagoa seca é uma esperança baldada. Muitos acham que a verdade está com os desgraçados, os loucos. Se ela estiver, está onde as perguntas não são respondidas.

Passei um dia em busca de transcendência e não encontrei nenhuma.

O mendigo não ajuda nada; essa é sua mensagem. Pedimos sentido e nos devolvem obtusidade; pedimos originalidade e respondem com os restos do nosso próprio discurso que encontraram no lixo: restos de frases da TV, pedaços de jornais que leram no chão.

Os mendigos são implacáveis. Vamos todos rebolativos entrevistá-los, e devolvem nosso próprio rosto num espelho sujo. Oferecemos miçangas, sorrisos, respeito humanista, e eles nos olham do chão com as feridas expostas e um sorriso misterioso. Eles são nossa caricatura e em vão pedimos a eles que nos salvem. Mas os mendigos não são generosos conosco. Queremos fazer uma reportagem boa e só nos devolvem risos idiotas, resmungos sem sentido, frases cifradas.

Os mendigos não têm ambição literária; só gostam de clichês. Vivem repetindo lugares-comuns, iguais aos lugares onde vivem.

Queremos roubar alguma coisa deles, mas eles tudo nos oferecem e nos ofendem com a opacidade de seus mundos sem luz. Eles nos cegam com luzes apagadas, nos obrigam a suportá-los como são. Eles nos obrigam a uma contemplação interior que não desejamos.

É espantosa a sovinice dos miseráveis deste país. Vejam o trabalho dos zelosos repórteres de TV. Vão às piores palafitas, favelas, leprosários, e o que recebem em troca? Nada. Só lugares-comuns. Alguém já viu na TV alguma frase iluminadora, um momento de redenção pela miséria? Não. E olha que os mendigos vivem em contato com as barras mais pesadas. Não era justo que eles nos dessem um pouco dessa riqueza de aventuras? Não. Positivamente, os pobres não cooperam com o jornalismo.

Samuel Beckett explorou-os, usando-os como metáfora de culta melancolia niilista. O mendigo não tem nada, mas não é niilista. Talvez, sei lá, mendigos irlandeses, belgas; aqui, não.

A vida dos mendigos é em close: a pedra, o chão, os pés dos passantes, a esmola, a garrafa de pinga, a faca. No mundo dos mendigos não existem pensamentos descortinados. Mendigos não gostam de ideias abstratas. Não se pode falar de "opção" com mendigos, ou de "projeto". Mendigos não têm projeto abstrato. Só concreto. Exemplo: meu projeto é arranjar pinga.

Os mendigos insistem no óbvio por sabedoria. Cismaram em só repisar como importantes coisas como casa, dinheiro, reforma agrária. Os mendigos são materialistas, mas jamais dialéticos. Os mendigos odeiam ideias gerais, finalismos, futuros. São pragmáticos como os americanos.

Muitos não falavam e se limitavam a nos olhar com uma expressão feita de descrença, de uma certa paz no sofrimento, que nos dava até uma certa inveja. "Que sabe ele que eu não sei?", pensávamos.

Para os mendigos também o conceito de tempo é diverso do nosso. Não têm segunda-feira, hora do lanche, feriado, happy hour. Os mendigos evoluem num presente baldio, um tempo baldio. Isso nos é útil. O tempo-mendigo permite uma luz nova sobre o mundo. Mostra que a ideia de continuum é errônea, logo a lógica idem. Nos permite ver a a-historicidade das coisas. Exemplo: um país pode andar para trás, como o nosso. Ou observar absurdos como: "A verba da seca foi toda desviada pelos prefeitos." Visto do ângulo-mendigo, isso é apenas um evento a mais como, digamos, "fulano morreu na enchente" ou "roubaram minha latinha". A lógica mendiga permite entender melhor o Brasil.

O mandacaru na sala de jantar

Ontem eu comprei um mandacaru. Isso mesmo. Sempre quis ter um cacto em casa, mas me diziam: "Dá azar..." E eu desistia. Mas ontem passei num florista quase em frente a meu prédio no Rio e perguntei: "Tem cacto?" Ele abriu um caminho entre samambaias e tinhorões e apontou-me o mandacaru. Fiquei fascinado pela planta. Não era um cacto qualquer; era um personagem do Nordeste, uma famosa planta brasileira.

O leitor já viu um mandacaru? Esse deve ter um metro e sessenta, reto, com três braços abertos, uma pele verde-oliva entre plástico e couro de lagarto, aberto em gomos sinuosos e todo cravejado de pequenos espinhos. Em minha casa há um enorme quadro amarelo como um sol em contraluz e eu coloquei-o ao lado, de modo a criar uma paisagem de caatinga na sala. Então, feliz com meu dia de jardineiro, resolvi escrever meu artigo semanal, mas fui tomado por um grande tédio.

Escrever o que sobre essa paralisia histórica mundial que finge ser dinâmica, mas apenas roda no mesmo erro, como um aleijado caído no chão, girando em volta de si mesmo, entre Bush e Osama, entre Lula e tucanos, entre Garotinhos, Rosinhas, irrelevâncias políticas regressistas?

Do fundo da sala, meu mandacaru se postava como uma sentinela, ali, junto ao quadro ensolarado de Thereza Simões. E ele me despertou a fome de alguma coisa permanente, alguma coisa que fosse essencial, nesse mundo caindo em epilepsia histórica. E resolvi escrever sobre ele.

Fixei-me no mandacaru, aproximando-me como um zoom. Ali estava ele, há milhões e milhões de anos, imóvel, fora do tempo e da história, um observador mudo. Olhei bem a forma do mandacaru. E sua visão foi me dando um grande alívio, um prazer de estar em contato com um filho da natureza como eu, companheiros há bilhões de anos, numa solidariedade discreta, como um guardião me protegendo.

Cheguei mais perto, passando a mão em sua pele lisa e dura como o dorso de dragão, crivada de espinhos que palpei delicadamente, como a um bicho manso, mas que pode morder de repente.

Minha mão tremia nesse contato solitário entre nós dois, a sós, de madrugada no Rio, chovendo lá fora, numa conjunção quase amorosa, ele quieto e dócil, e eu curioso como um macaco diante do mistério. Eu temia seu silêncio. Ele é um indivíduo vivo, sim, tanto que cresce, floresce quando vem chuva no sertão, tem cardos para o mundo perigoso, mas não toma a iniciativa. Só espera. Percebo que nele tudo tem uma razão milenar. Ele é fruto de razões, esculpido pela necessidade de existir. Quantos milênios se incorporaram à sua vontade de viver? O verde-escuro tem uma razão, as volutas de seu corpo, seus braços em cruz, apelando para os ares, tudo é um relato cifrado para mim, narrando os eventos que passaram por milhões de séculos.

Ao vendedor, perguntei se tinha de regar. Não, ele não precisa de água, nem de nada. O meu mandacaru não come nem bebe. Só vive. "Por quê?", penso, metafísico. Para quê? Para nada, nos ensinou Darwin, abrindo o caminho do "alegre saber" desesperançado para a filosofia. Nada. Ele é elegante, frugal e forte como um sertanejo — a comparação inevitável. O mandacaru é um sertanejo de braços abertos diante do nada, sob o sol, existindo em pleno vazio — como nós... Só que ele não tem ilusões de sentido, coisa de humanos. Ele é uma lição incompreensível sobre nosso destino, um segredo insuportável que não podemos encarar. Mas, se ele está fora da história — me pergunto —, por que então os espinhos? Ele se defende de quê, há milhões de anos? Ele não se move, mas sabe do movimento do mundo. O mandacaru está sempre pronto para a ação. Ele não ataca, mas contra-ataca os bichos que tentaram mascá-lo, dentes primitivos que interrompiam a ordem que seus genes lhe davam: "Exista! Viva!"

Por isso ele está sempre *en garde*, com bracinhos curtos, como um soldado, um espadachim. Ele não venta, não verga, só espera. Ele não serve para nada, além de existir. Não, não; suas flores servem, sim, anunciando chuvas. Seus frutinhos são insípidos e ele só serve de comida em último caso, humilhado em sua pose meio humana, sendo esquartejado, cadáver verde, raspado de espinhos para alimentar os bois na seca.

Mas aqui, na minha sala, ele está longe de seu deserto, ele está sozinho, parece mais um retirante, desambientado na presença dos vasos de louças, da mesa de mármore, dos livros, sofás.

Que faz esse retirante, esse pau de arara aqui? Ele é um intruso, mas não parece constrangido em sua dignidade agreste. Ao contrário, sua presença aviva tudo à sua volta por diferença, tudo fica mais nítido, porque ele parece coisa, se disfarça até de coisa, mas está vivo. É isso que me assombra, à noite, quando chego e o vejo em sua discreta vigília, me esperando. Dou-lhe um "olá" mudo e gosto que ele esteja ali, amigo, sem nada pedir. À sua volta abre-se um Nordeste em minha sala, lembrança de vaqueiros, cangaço, Lampião e Graciliano. Ele me religa com uma natureza sem exuberâncias, sem românticas esperanças ecológicas, mas uma natureza viril, discreta, me trazendo um sentimento de coragem.

E eu não estou mais sozinho. Ele é o sr. Cereus Jamacaru, e eu, o Arnaldo. Aprendo com ele a resistir aos ataques que têm me ferido pela incompreensão do amor virado em ódio, com ele aprendo que não há motivo algum para a esperança, nem para a salvação, mas que viver é uma ordem a que obedecemos e que pode ser um prazer silencioso como ele certamente tem, debaixo do sol da caatinga ou no canto de minha sala. De noite, durmo e sei que há dois viventes em casa. Eu e ele. Não sei até quando, pois ele talvez me sobreviva e fique para sempre em minha casa, esperando alguém que o leve para um destino novo e que talvez o assassine.

O travesti na terceira margem do rio

A Lapa é um vivo museu de velhas casas deslumbrantes, botequins, bordéis, casas de pasto, fachadas meio barrocas, meio neoclássicas.

Na esquina da Lavradio com a Mem de Sá, há um ponto de travestis. Acho os travestis figuras shakespearianas, de grande dramaticidade, centauros urbanos, corajosos, encarnando duas vidas num corpo só. Os travestis almejam uma beleza superior, uma poesia qualquer insuspeitada, mesmo que movidos pela necessidade da grana do michê. Não confundir o travesti com a *drag queen*. A *drag queen* é satírica, caricatura de uma impossibilidade; o travesti é idealista. O travesti acredita na arte. É utópico e romântico. O travesti tem orgulho de ser quem é; ele não é uma decaída — ele tenta ser uma afirmação de identidade. Na realidade, o travesti é uma espécie de ideal das mulheres, principalmente das pós-peruas, das turbinadas e siliconadas, pois elas querem ser homens também, homens macios. Elas aspiram à coragem e à liberdade do travesti, sem pagar o preço das ruas, pois o travesti sempre encerra um perigo qualquer. Eles não têm a mansidão aparente das damas da noite. O travesti é um risco maior que a Aids. Eles têm algo de homem-bomba — carregam um segredo que pode te matar ou te mudar para sempre. O travesti não enfrenta a moral vigente; ele enfrenta a biologia. A garota de programa é conservadora, serve ao sistema sexual vigente. O travesti é revolucionário, quer mudar o mundo. O viado ama o homem; o travesti ama a mulher, mas ele não quer ser mulher, ele quer muito mais, ele não se contenta com pouco, ele é barroco, maneirista (não existem travestis clássicos).

Há algo de clone no travesti, algo de robô, pois eles nascem de dentro de si mesmos, eles são da ordem da invenção, da poesia. O travesti não quer ter uma identidade; ele almeja uma ambiguidade sempre deslizante, sempre cambiante, se parindo numa estirpe futura de neoloucos. O que oferece o travesti ao homem que o procura? Oferece-lhe a chance de ser a mulher de uma mulher, oferece-lhe um pênis dissimulado. O travesti que se opera perde sua maior riqueza: a ambiguidade.

Nada mais triste que o travesti castrado; não é mais homem nem mulher. Vira nada. Passa a existir só em sua fantasia. O travesti não é uma coisa simples e doce; há um lado "criminal" no travesti.

Ele não é viado. Ele tem coragem de ser duplo, coragem do ridículo, do terror no centro da madrugada. Tudo isso ele suporta pela grana, claro, mas também pela suprema glória no espaço místico da esquina do Hotel Hilton ou da avenida Atlântica. A prostituta ajuda no tédio da vida conjugal; o travesti ameaça as famílias. Ele é útil politicamente, porque cria a duplicidade no mundo dos confiantes executivos, porque cria uma rachadura no mundo real de hoje. O travesti não é uma pobre mulher por quem você pode se apaixonar e viver feliz para sempre. O travesti é inquietante, porque você pode virar mulher dele. O homem que se casa com a prostituta é considerado um "benfeitor" que humilha um pouco a mulher amada que salvou. O travesti nunca será grato a você; você é que terá de lhe agradecer. O travesti não dá uma boa esposa; você é que poderá virar uma boa esposa para ele: "Querida, já lavei sua minissaia de oncinha..." Você não tira um travesti da "vida"; ele é que pode te tirar da tua. Ele tem tudo; ele é autossuficiente. Ele é um casal; se você entrar, você é o terceiro e pode ser excluído. O travesti sabe tudo o que um homem quer, pois, como seu desejo é masculino, ele conhece a mulher ideal. Só o homem pode ser a mulher ideal.

O travesti está numa missão impossível e sabe disso; ele sabe que ainda é um dos poucos redutos do sonho no mundo. Ele não é da área moral, ele é da área artística. O travesti não tem par. Quem é o par do travesti? A prostitutinha tem lá o seu amante, seu cafetão. E o travesti? Ele é só. O travesti nu em Copacabana desafia todos os pudores. Quem está nu ali na esquina, o homem ou a mulher nele? Ninguém está nu, pois ele viaja na identidade e se disfarça o tempo todo; por isso, pode ficar nu na rua — ele não é ninguém, ele não aspira a um "eu" fechado, ele é um "eu" contemporâneo, ele é descentrado, movente, ele é o "sujeito" moderno. O travesti tem algo de caubói — e desperta a mesma admiração que um John Wayne de fio-dental. Porque você está na paz; ele está na guerra. Você passa no seu Audi e vê na terceira margem do rio uma Marlene Dietrich de botas no meio dos faróis e lá se vai o pai de família perdido de loucura. Todos somos ingênuos e caretas vistos daquele ângulo.

O travesti nos fascina porque assume a verdade de sua mentira.

Monólogo de uma mulher de mercado

"Ele não disse nada para mim. Nada. Ele não disse que o sol brilhava só para mim, nem que eu era sua flor da montanha, ele não disse nada para mim naquela noite ali num cantão escuro de São Paulo, ali no carro dele, onde ele me dava um amasso, mas eu não queria ainda amassos, eu queria amor, sim, e ele não me chamou de flor da montanha, ele me chamou de avião, 'você é um avião!', e disse que eu era uma gatona, uma tigresa, e ele ia tentando abrir minha jeans Diesel, mas ainda bem que era muito justa e eu não queria ainda nada, e eu chamei ele de Ferrari, 'Calma aí, você pensa que é uma Ferrari?' Há... Há... Ele riu e eu ri, sim, também para melhorar o clima, e eu fazia força para não pensar no passado, no tempo em que eu lia Simone de Beauvoir e Joyce, sim, o lindo monólogo final de Molly Bloom, cheio de sins, sins, sim, eu fazia esforço para não olhá-lo porque eu não o amava e talvez nunca amaria e eu fazia força para não ver seu rosto, seu jeito bruto apressado dizendo 'segura aqui gatona', e eu: não, calma aí... Eu que sempre sonhei com um homem doce e profundo que *someday will come along*, que me desse um longo beijo e que eu perdesse o ar e eu claro me apaixonaria na hora, sim, pois estaria provado que ele sabia tocar uma mulher, mas não, ele me bolinava e seu celular tocava com uma musiquinha de carrossel ti ri ri ti ri ri e ele não parava de meter a mão entre minhas pernas como se eu fosse uma continuidade do celular, do carro, como se eu fosse uma peça ali da engrenagem do carrão e eu queria até me emocionar, queria querer, ver o sol raiar e me apaixonar mas o sol não aparecia atrás dos viadutos negros, eu queria ver o sol ou a lua para me estimular, para que eu pudesse amá-lo, sim, mesmo sendo ele diferente de meus sonhos, mesmo ele com sua camisa de bolinhas brancas, mesmo ele com bigode e uma barbinha aparada, mesmo com sua barriga de chope, sim, mesmo assim eu poderia até me apaixonar, sim, pois mulheres somos frágeis, mas ele não ajudava, falando alto, me apertando, só pensando na técnica de me convencer a dar para ele e eu fingia naturalidade, sim, aprendi isso no mercado financeiro: sorrir sempre, pois 'bode' não é comercial, sim, eu pensava em meu emprego, e fui conseguindo esquecer minha alma romântica e já falava calculadamente, trocando meu ódio por silêncios suaves, minha independência pela necessidade de entrar no mercado, sim, no mercado, sim, onde tudo se passa e eu me lembrava de tantas amigas perdidas na noite, sem lugar no mundo real, o que ele queria de mim podia ser dado por qualquer putinha, mas não; ele queria me dobrar, me obrigar a dizer sim, ele queria minha fraqueza, meu amor vencido, ele me queria ali, a seu serviço, eu sabia, sim, sabia do seu escroto uso de poder, mas tinha medo também de nada ter, tinha medo da solidão fria, ao menos ele era um homem me querendo, melhor que o nada no viaduto, e aí eu tentava desesperadamente em minha fantasia descobrir beleza até na boçalidade, eu pensava: ele é apenas um cafajeste brasileiro, tão típico, um cafajeste poético, enquanto ele ria e tocava um CD de pagode ali no carro e eu pensava em outro homem na minha imaginação, *the man I love*, para me conformar com ele, assim como me acostumei com a mansa aceitação do ritual diário do marketing, do puxa-saquismo no emprego, do riso de falsa alegria diante de piadas sacanas no escritório, sim, sim, eu sei que está aparecendo meu 'cofrinho', ali atrás na minha calça justa, há, há, há, vocês machões são fogo, eu sorria, parecendo deliciada, pensando: tenho de ser gostosa e alegre, como ensinam todas as capas de revista, com bundas bundas bundas e tenho de fechar os olhos e imaginar que estamos em frente ao mar azul-pavão no fim de tarde, no crepúsculo com os roseirais e gerânios surgindo atrás de seu carrão prateado, grandes flores no para-brisa e, sim, eu fechava os ouvidos para não ouvir o seu riso arfante e o pagode bem que poderia virar um Cole Porter ou algo assim, pois eu tinha de imaginar que seus músculos de gordo eram para me proteger e não para talvez até me bater se eu disser não, não, sim, sim, tinha de ouvir a voz de meu herói imaginário dizendo que eu sou a flor da montanha, tinha de achar que quem me beijava não era ele mas um outro que não existia e, sim, aos poucos fui ficando mais conformada, talvez mais fria, talvez até mais contemporânea e sim, eu pensava: sim, sou uma mulher que está dentro do mercado, sim, e aos poucos comecei a achar uma certa graça perversa nele e ele me perguntou se eu diria sim, se eu faria sim, e ele me chamou de novo de avião e de minha gostosona, mas eu ouvia que o sol nasceria só para mim e ele falou olha o minhocão e olhei e não era o viaduto e, sim, ele empurrou minha cabeça suavemente, sem dúvida, ele foi suave, empurrou minha cabeça suavemente para baixo, para seu colo e eu pensei que nada existe fora do mercado e eu disse sim, sim, eu beijei sua barriga e desci aos poucos e sim, eu disse sim... Sim."

Cabeça falante faz filosofia da miséria

Eu estava atrasado para pegar a conferência de Peter Sloterdijk, em São Paulo, do Banco Nacional de Ideias, sobre "o relativismo como visão de mundo". Ainda no Rio, eu corria de carro para o aeroporto. Já tinha ouvido a conferência de Ernest Gellner e ali no trânsito de Copacabana (permitam-me este blend de sofisticação com prosaísmo) eu pensava em Hegel. Segundo o filósofo alemão, a História humana se movia por uma evolução do espírito num crescimento contínuo que Marx depois inverteu, pôs de cabeça para baixo, dizendo que o que nos movia não era o *Geist*, o espírito, mas a materialidade concreta do mundo, as forças da produção numa dialética histórica. No carro e no engarrafamento, eu me lembrava da conferência de Gellner e pensava que, se o romântico Hegel se refutara e se o materialismo de Marx não tinha mais a clara chave do enigma, que "terceira força" nos regeria agora? Pensava estas coisas profundas (oh, raso diletante que sou...) e o Rio flutuava a meu lado como uma febre miserável, quando eles começaram a chegar. Ali na entrada da rua Rainha Elizabeth, na direção de Ipanema, vive uma gangue de "homens-troncos". Sabem o que é? São os *culs-de-jatte*, como diziam os cruéis franceses, os bunda-de-jarro, que eu traduzirei livremente por os "cus-a-jato", os amputados, os bustos de rodinhas, mendigos que só têm ombros e cabeça e se moviam (oh bons tempos...) em caixotinhos com rolimãs ou, os mais abastados, em cadeirinhas de rodas. Hoje, não há mais este luxo e eles deslizam em "skates" de segunda mão. Eu pensava em Hegel, quando, no para-choque do carro ao lado, segurou um "cu-a-jato" que eu já conhecia. Era o "Havaiano", ou melhor, meio havaiano, cabelos de parafina, mulato otimista, que fica esquiando ali no asfalto com um calção frouxo colorido e gritando gírias surfistas para os garotões dos carros, tudo num clima de "miséria numa boa". "E aí, brother, altas esmolas hoje?" Havia ainda uns cinco ou seis aleijados também agarrando nos carros e apostando corridas com as caras enfiadas nos escapamentos dos carros. Não dá pena dos *culs-de-jatte*. Eles são um misto de horror com comicidade, como os anões de Buñuel, e eu meditei sobre a fatalidade da miséria. No Rio, já há um acomodamento indiano com a miséria, a sensação do insolúvel já é malemolente, miséria tem ginga, ao contrário de São Paulo em que a miséria ainda parece um defeito na paisagem rica. Atravessei a legião de "cus-a-jato" que enxameavam a volta de meu carro e avancei em direção a Ipanema. Já estava escuro e eu tinha de correr para pegar o avião pelo túnel. Dizem que às 20h chega uma Kombi ali na esquina e recolhe os homens-troncos, que são explorados por um kombista que cobra percentagem, antes da chegada dos travestis. "Qual seria a terceira onda da História?", pensava eu. Espírito, Hegel; matéria, Marx. E agora, que dialética rolava? Gellner preconizara uma coisa meio weberiana, "tolerância social com intolerância lógica". Ou seja, respeitar as verdades morais de outras culturas com a âncora de certos "universais". Que diria Sloterdijk? Havia esperança para o mundo? Ou as ideias vão atrás dos fatos, diferentemente dos tempos do iluminismo (*Aufklärung*), quando o pensamento descortinava paisagens novas para a vida?

Escurecia, chuviscava e eu já entrava na Vieira Souto quando brequei com horror. Junto a minha roda havia uma cabeça humana! Deus, teria matado um homem!? Com pavor, abri a porta do carro. Junto ao meio-fio havia uma cabeça, sim, apenas uma cabeça, sobre um skate também. Deus, que fazia aquele *cul-de-jatte* ali, fora do ponto, no escuro, no asfalto, quase invisível. E a cabeça sorria para mim.

"Cacete! Você não viu que quase te matei, porra!", gritei com ódio e pânico.

"Mas, eu vi o senhor...", me respondeu a cabeça, do chão. Eu comecei a suar frio.

"Mas eu não o vi, puta merda, e eu estou de carro!"

"E eu estou de skate", sorria o cu-a-jato, "eu sou bom de drible, tenho bom golpe de vista!" A cabeça-falante era visivelmente um dissidente do grupo da praia.

"Por que não estava lá com os outros surfistas do asfalto, meu cacete?"

"Porque sou livre e não quero ser explorado pelo português da kombi", sorriu politicamente. Olhei melhor; ele usava óculos, a cabeça em cima do skate usava óculos, tinha um bigodinho e parecia a cabeça de um filósofo, calmo, estoico, seria um novo Epíteto? "Eu o vejo, o vejo...", sorria ele.

A cabeça parecia um professor da USP, quem? Parecia a cabeça de algum filósofo flutuando ali no asfalto úmido, me sorrindo com cinismo. "Será a Razão cínica que quer me humilhar?" Pensei. Perdi a cabeça (desculpem o trocadilho), e dei-lhe um esporro:

"Porra! E se eu te mato? Sem te ver, hein?"

"Se ninguém vê, não houve nada", me diz a cabeça no skate. Começo a ter um sentimento de estranho pânico (*Unheimlich*) e começo a sentir que estou num pesadelo humorístico. Penso em chutar a cabeça e fugir.

"Você quer é morrer, você tá aí procurando a morte, estava cortejando o desastre!", retruquei para a cabeça.

"Que morte! Eu estou ganhando a vida!", me diz o cu-a-jato com um jeito meio sindicalista. Seria da CUT a *talking head* do chão? "Isso é 'seu' ponto de vista!", continuou. "Tudo é relativo..."

Estou alagado de suor. De repente me vejo de fora, como num filme, melhor, num desenho animado sinistro. Tenho 1,90 metro, estou em pé na rua, discutindo com uma cabeça de 20 centímetros no chão. Estou no centro do absurdo. Beckett era pinto. Aquele momento continha uma verdade profunda qualquer. Talvez ali estivesse a terceira onda dialética. Ao longe, o morro Dois Irmãos me olhava, pesado. Começaram a buzinar atrás.

"Como é que é, porra!?", gritou um BMW atrás de mim (eu era o *cul-de-jatte* do BMW).

"E aí? Não sai uma grana, bacana?"

"Que grana, cara, eu quase o mato e ainda quer grana?"

"Qualquer coisa é melhor que nada", me diz a cabeça do filósofo ali do chão.

Súbito, me transporto para o ponto de vista dele. Um sujeito visto de baixo, em *contre-plongée*, esbravejando contra o céu, com uma BMW buzinando atrás e me chamando de babaca, contemplado pela impavidez de uma cabeça. Por um segundo, vejo a vida daquele ângulo. Voltei a mim, tonto. O cu-a-jato me olhava do chão, com uma expressão de descrença, uma paz no sofrimento, que me deu uma humilhação e até certa inveja: "Que sabe ele que eu não sei?", pensei.

"Meu negócio é grana, mermão!", me disse ele.

Vi que ele odiava ideias gerais, abstratas. Ele era materialista, mas não dialético. Visto do ângulo cu-a-jato, a vida não tinha um continuum histórico, não se podia falar com a cabeça-skate em "projeto", visto do ângulo cu-a-jato eu era apenas mais um evento no horizonte, como uma bagana de cigarro. Não aguentei mais tanta informação, entrei no carro e fugi, e ainda vi no retrovisor o sorriso de mofa da cabeça no chão, me olhando como um psicanalista.

Peguei o avião e aportei no meio da conferência de Peter Sloterdijk. Mas não me esquecia da cabeça do meio-fio. Ao final, fui jantar com o professor Emanuel Carneiro Leão e implorei em pânico:

"Professor, não há nada de novo na Europa, nenhum universal, nenhuma esperança filosófica?"

"Não", me respondeu Carneiro Leão com profundo coloquialismo. "Não. Tá a maior deprê..."

Aí eu me lembrei do cu-a-jato e a luz se fez. Sim, havia uma terceira marcha da História. Não o espírito, nem a matéria, nem a luta de classes, mas os detritos da razão, o giro do lixo, a dialética das sobras, até um grande "fim da história" que será a abolição de qualquer vislumbre de universais, de ilusão, como as distopias dos livros de ficção científica. A história vai acumulando detritos irracionais cada vez mais inexplicáveis e a razão vai correndo atrás, tentando teorizar, agarrada nos para-choques, feito os cu-a-jato de Ipanema. A razão é um *cul-de-jatte*.

O ânus ameaça a Nova Ordem Mundial

Ele gritou quando foi agarrado por trás. Seus livros caíram na lama do beco escuro. O terrorista argelino fundamentalista tinha um turbante sujo e uma barba cerrada. Ele prendeu numa gravata o intelectual humanista, que tremia ao contato da lâmina de seu punhal, ali na ruela sinistra de Argel.

O intelectual tinha os olhos esbugalhados (logo ele, o celebrado autor de *Multiculturalismo e diálogo*...) e gemia de pavor, pois sabia que os fundamentalistas do GIA (Grupo Islâmico Armado) degolavam artistas, pensadores e turistas do mundo "limpo". Agora ele estava ali no centro da tragédia, naquele beco da peste de Camus. O argelino rezava feliz: "Oh, Alá! Mais perto de Ti no paraíso eu estarei a cada intelectual infiel que eu matar! E quanto mais eles gritarem na hora da degola, mais amado eu serei por Ti."

Por isso, a faca do argelino era uma adaga cega e enferrujada para prolongar o martírio do autor do best-seller *Sedução do mal* (Gallimard, 290 p.).

Mas, mesmo com a faca na garganta, o intelectual não escapou de pensar. "Este argelino podia fazer uma boa limpeza em nosso meio cultural!", e seu pavor teve o lampejo de um sorriso. O argelino rezava e passava em seu rosto o punhal rombudo. "Quanto mais medo, mais paraíso...", pensava o islamita. O intelectual europeu finalmente se sentia vivo, "real", pela primeira vez, agora que ia morrer. Sua cabeça não parava, mesmo *in extremis*. ("Penso, logo ainda existo!") Olhava o seu carrasco e via nele um vírus. E foi ali que, subitamente, entendeu um vago pensamento que se adensava dentro dele. Toda a confusão da modernidade pós-ideológica (como ele falava entre seus colegas da Anistia Internacional) se simplificou. Ali, num claro instante, a máquina do mundo se abriu. "Era isso!", pensava e tremia. "Era dali que viria o novo tempo! Ali, do cu do mundo, do cu da humanidade, ia nascer a 'nova ordem virótica'! Os vírus estão se mobilizando. O terrorismo é um vírus, a Aids, o Ebola é um vírus!"

Sentiu euforia e pânico, diante do punhal e do entendimento. "Claro, tudo viria de novo da África e da Mesopotâmia, da Argélia, do Irã, os berços da civilização! Era talvez a vingança da miséria, a volta dos excluídos! Sim!", pensou.

E os males do mundo atual se fechavam como um anel lógico. "Claro, o japonês da seita louca era um vírus também, gordo, letal, soltando um grande gás anal nos intestinos do metrô de Tóquio. Ânus, sim, o ânus. O Ocidente se puniria pelo rabo. Tudo estava vindo do ânus do mundo, como uma grande cloaca maldita, origem e fim de tudo!"

Ele se lembrou dos americanos gays, que, nos anos 70, "davam" para os negros do Haiti, no turismo sexual do país que exportava sangue e plasma (Hemo Haiti Inc.), o Haiti dos rituais sangrentos dos macacos do vodu. E depois (ou antes?) os macacos verdes no fundo da África, junto com os negros excluídos, os danados da Terra, as origens virando fim, se vingando por onde? Pelo túnel do ânus dos brancos ricos entraram os vírus do marco zero: miséria, fome, macaco, pênis preto, homem branco.

"É terrível", pensou o intelectual com o gasganete apertado pelo árabe que agora cantava uma oração fúnebre, "tudo vem do fundo da sujeira do Zaire; por que nenhum vírus sai da história limpa de Nova York? O desespero do Ocidente diante da Aids e da miséria não é o medo da morte. O grande horror vem da queda do mito da competência. Os heróis americanos são os campeões da supereficiência, megapaus-para-toda-obra, heróis do *do-it-yourself*, cuja bíblia seria uma transcendental *Popular Mechanics*. A causa do medo é o fim da ciência onipotente, que deveria descobrir a cura para tudo. Mas, na realidade, um crioulo fugindo do Zaire pode destruir o Ocidente. O vírus do terrorismo abala muito a 'cultura da certeza'. A América quer certezas, princípio, meio e fim, tudo iluminado pela luz dos supermercados", pensou em seu pavor.

Ali, com o argelino rosnando para ele, o intelectual lembrou-se com saudade da limpeza dos ambientes do Ocidente: a fórmica, o aço, os mármores sintéticos, o mito da higiene total, a alegria do conforto, onde se podia esquecer o mundo sujo dos excluídos. "Nunca ninguém questionou a injustiça política do conforto. Nunca pensamos no crime de um detergente, no pecado do ar-condicionado, da higiene. A África nos acusa. Os excluídos não querem ser esquecidos. Os psicopatas, os aidéticos, os favelados-vírus do Rio, todos atrapalham a esperança de ocultar a morte. A perfeição higiênica revela o desejo obsessivo de controlar tudo, até os mortos maquilados nos velórios de Los Angeles", pensa.

O terrorista ria com muitos dentes e lhe mostrava a faca suja. "Uma grande revolução anal sacode o mundo!", meditou o intelectual em seu martírio.

Ele queria parar de pensar e só sofrer. Não conseguia. "O pensamento é um vírus", disse uma vez William Burroughs.

O lamento do árabe assassino subiu para uma modulação aguda, sinistra. "Por absurda ironia", continuou pensando com pavor, "os vírus e os loucos abriram uma brecha de liberdade no mundo do controle! É o sujo contra o limpo. É o fim da ilusão do controle. À ilusão do controle do socialismo seguiu-se a ilusão do controle pelo mercado liberal. Claro que nunca houve controle de nada. O fim dessa ilusão criou essa paranoia. A guerra nuclear ao menos era um misto de terror com encantamento. Havia um certo orgulho tecnológico naquele suicídio possível. Agora somos exterminados pelas infecções hospitalares, pelos retrovírus, os macacos verdes, a crioulada miserável, Santo Deus!"

O terrorista lhe ameaçava com maldições crescentes. O intelectual pensou ainda em Camus. "Este sim, estava certo quando riu da esperança do historicismo 'racional'. A peste é isso: já que a história dos homens não progride, a história dos vírus se aperfeiçoa. Os micro-organismos ameaçam o sonho ocidental. A cultura ocidental da certeza busca uma engenharia genética do destino!", pensou com vaidade o intelectual. Gostou da frase. Foi quando a faca rombuda lhe cortou a garganta e seus gritos fizeram sorrir o argelino fundamentalista, que se sentiu mais perto de Alá!

O malabarista

Meu carro parou no sinal e surgiu, do nada, um menino, magrinho, 7 anos no máximo, descalço, com a bermudinha escorrida e uma camiseta de supermercado, jogando para o ar três bolinhas de tênis, num frágil malabarismo.

Era mais de meia-noite: eu dentro do carro blindado e ele lá fora, diante dos faróis, na névoa fria do sereno. Fiquei em pânico.

Se ele estivesse pedindo uma esmola, de dia, seria normal sua presença; uma esmola legitimaria uma contradição social inteligível. A esmola aceita tristemente o mundo mau como inevitável e ainda faz de nós homens "bons". Uma esmola me salvaria, mas, ali, de madrugada, sem pai nem mãe, vi que aquele menino estava trabalhando para mim.

Minha solidão cresceu com sua presença e me senti desmascarado, acusado pelo inocente malabarista. Naquele confronto na noite, quase um duelo mudo, ele, fraco, voando no vento, era a realidade crua do país; eu era o absurdo, o protegido, o blindado. E ele não estava pedindo caridade, pena, como fazem os mendigos, expondo chagas, gemendo de cabeça baixa. Não. Ele não queria inspirar piedade; queria apenas um pagamento por seu trabalho de operário, como se dissesse: "Eu tenho profissão, sou um menino malabarista, tenho dignidade como o senhor."

Essa igualdade profissional, de um cidadão como eu, era quase ofensiva. Eu não sabia fazer malabarismo e sua perícia me soava como uma acusação muda. Será que ele queria me dar uma lição de vida, com seu malabarismo? Não, não havia traço algum de acusação contra mim; ao contrário, ele era sóbrio, concentrado no trabalho, sem exibicionismo, um profissional mostrando sua competência.

Ele parecia me dizer com sua arte: "De algum modo, sou útil. Nem sei se sou infeliz. Para mim, minha vida é normal. Os outros é que se sentem anormais na minha presença. As pessoas preferiam que eu não existisse. Percebo isso quando sou expulso de uma loja, ou quando ignoram minha presença. Eu estrago a festa. Às vezes, quando tem uma família com filhinhos, papai e mamãe na porta da padaria, fico bem perto deles. É uma maneira de ter uma família, só que 'de fora'. Sou um anti-irmãozinho. Os filhos me olham, espantados. Os pais, então, têm de 'explicar' por que eles não são como eu... E não conseguem. Eu sou inexplicável..."

E nada de o sinal abrir... "Meu Deus, tomara que fique verde logo, para eu fugir".... Eu quase pedia ao menino tolerância para meus privilégios, pois, afinal, eu trabalhava muito também e merecia aquele carro, apesar de ele estar descalço e seminu.

E o sinal não abria. Ninguém para me salvar, ali, indefeso diante do malabarista mirim. Teria 7 anos? Por aí, idade do meu filho. Minha dor aumentava enquanto ele, impávido, jogava agora uma das bolinhas por cima do ombro, virando-se para apanhá-la nas costas, como um Ronaldinho ou Robinho.

Sentia-me um prisioneiro daquela invasão da miséria. "Como ousam estragar minha noite de folga, sem pedir licença, me obrigando a ter horrendos sentimentos? Será que não se pode mais ser feliz no Rio? Não é justo... Será que ele é filho de ladrões? E a polícia que não vê isso? E o governo que não interna essas crianças?"

Tentei me consolar com o ódio ao capitalismo, mas não adiantou, pois eu era a "contradição principal", eu era o agente da classe dominante, eu era o inimigo.

O menino não parava de jogar para o céu as três bolinhas voadoras que, domesticadas, eram o retrato de seu teimoso malabarismo de viver, só, miserável, magrinho, mas ainda capaz de resistir pela graça de sua arte: "Eu me viro, faço pirueta e aguento o tranco." Havia um certo orgulho no menino.

Peguei a carteira e pensei: "Vou dar uma esmola bem grande, cinquenta pratas!" Mas vi que eu queria apenas me salvar. Não. Não vou dar tanto, seria um reles mecanismo de purificação. Pensei então em não dar nada, porra nenhuma, para endurecer meu coração como numa ginástica interna, "pois, se eu tiver pena de tudo, morro". Para viver hoje, "hay que endurecer".

Depois, tentei me consolar pela comiseração, pois, se eu estava transtornado, isso denotava uma forma de compaixão, de sensibilidade... Afinal, eu era legal... Mas nada... Só o tempo me salvaria, quando o maldito sinal abrisse e eu saísse em velocidade, para tomar um uísque e esquecer. Tentei o cinismo: "Afinal, o mundo sempre foi uma bosta, Hiroshima, Iraque, África..." Mas o menino estava vivo; ele não era um conceito, não era uma contradição. Era um outro cidadão ali na noite, era um espelho meu, um semelhante.

Já pensava num golpe de direção: avançaria o sinal, cantando pneus para longe dali. Foi quando o sinal abriu. O menino veio até a janela, depois de uma pobre mesura de picadeiro. Trêmulo, dei-lhe dez reais (ele era tão pequenino...). Fui generoso, mas ainda "dentro do mercado". Ele me olhou sem medo, mas sem gratidão. Estávamos "quites". Disse um breve "obrigado" e foi sentar-se no meio-fio, esperando outro carro. E eu fui embora, me sentindo como num assalto sem armas, sem dinheiro. Fugi despojado de certezas, de sossego, me senti roubado de coragem, de esperança. Como doía em mim, a imagem do menino. E saí pensando: "Que será de mim, meu Deus?" Saí dali como de uma guerra, me sentindo um desertor.

E fiz um juramento: nunca mais caio nessa. Se vierem outros, farei uma manobra e avançarei o sinal — da próxima vez, de olhos secos.

O filme que Rimbaud fez antes do cinema

Anos depois que Rimbaud foi para a Abissínia, ele encontrou um conhecido numa encruzilhada. Falaram de negócios, até que o amigo lhe perguntou: *"Et la poesia?"* Rimbaud foi seco: *"Je ne m'occupe plus de ça..."*. (Não mexo mais com isso.) E voltou para o balcão de sua loja em Harar. Pegou a máquina fotográfica que recebera e, silenciosamente, fez esta foto que resplende através das décadas como um fragmento-resumo de seus poemas e uma antevisão do cinema. Façamos a decupagem da cena.

A foto é minuciosamente vidente, fiel à poesia com a qual ele afirmara "não mexer mais".

A fotografia é um flagrante, mas não de um fato ou uma ação; é o flagrante de uma imobilidade. Mas uma imobilidade que parece mover-se, ferver nas moléculas como um quadro de Van Gogh. Não capta o movimento de algo precioso; apenas um homem no chão, parado. A foto quer sugar o inerte.

Há um leve desfoque na cabeça do abissínio, que indica que ele a moveu no instante exato do disparo.

O homem não viu Rimbaud, pois não há curiosidade ou pose (*camera consciousness*) neste modelo desértico.

Diz-se que a foto foi tomada do balcão da loja em que o poeta trabalhava, em Harar. Isso transforma a foto num "contracampo"; um espelho do mundo de Rimbaud, um avesso. De um lado, um europeu fugitivo com um aparelho moderno, de outro, o milênio.

Na hora da foto, Rimbaud está de respiração suspensa, captando este painel do Tempo a sua frente. Há uma linha direta entre ele e o vendedor de café. O vendedor de café (ou mendigo, ou o "homem"?) está na parte baixa do quadro, sob um céu de colunas, e seu rosto se move um segundo (atraído por quê? Um grito no deserto, música?).

O indício de que existe o Tempo é seu rosto em movimento. O cinema está ali no seu rosto; o resto é fotografia.

O enquadramento é perfeito, se bem que a figura principal, note, não é o homem, mas a grande coluna a seu lado e a outra coluna mais ao fundo. É como se Rimbaud fotografasse uma pedra em um silêncio, só uma pedra, porque o homem está ali como uma pedra, pequeno, parte integrante da matéria inerte (se bem que seu rosto se moveu e marcou a passagem de um segundo).

Duas coisas lutam neste quadro:

a) a tonelagem das duas colunas maciças (como sustentando um templo imenso), em contraste com

b) a miséria rarefeita dos fragmentos que se espalham no chão em frente ao homem.

É grande a distância de escala entre a massa material das colunas e os miseráveis cacarecos amontoados. O homem parece ter desistido de duas coisas: de tentar a grandeza (subindo ao templo das colunas) e de cuidar de seus cacos, utensílios abandonados da prática da poesia (*"je ne m'occupe plus de ça"*).

Os fragmentos a sua frente refratam a grandeza das colunas porque, por coincidência ou mistério, as duas ânforas, ou recipientes de guardar grãos de café, reproduzem em miniatura a imagem das duas colunas que sustentam o templo, o céu, sei lá.

As ânforas, apesar de pequenas, são bem maiores que os cacos à frente do mendigo, e estão para os ditos cacos como as colunas estão para o mendigo.

Também esses dois recipientes lembram os dois pés humanos decepados de um ser que estaria andando, mas sumiu, sendo, junto com o vento desfocado da cabeça do homem, outra sugestão de um passar de tempo.

Atrás do homem, as colunas e as paredes também parecem se carcomer em silêncio, denotando uma outra passagem do tempo, fazendo o reboco das colunas mudar como um campo de provas do inquietante fluir.

À esquerda, a balança inútil de uma justiça parada.

Há duas portas ou entradas na foto; uma fechada a cadeado, outra uma abertura para o céu, uma escada banhada de luz levando a uma esperança alada. Ambas não parecem ter serventia nem para o mendigo nem para Rimbaud.

Os despojos à frente do vendedor estão abandonados, num desalento melancólico e, apesar de identificáveis (xícaras, sandálias, cajado), formam um conjunto semelhante a ossos, tíbias, objetos tumulares, que parecem fluir do homem, como se fossem os restos de um despedaçamento, de uma amputação progressiva (as pernas do homem não são vistas). A imagem é de uma melancólica permissão para a dissolvência.

Por mais desatento que fosse o gesto de Rimbaud ao bater a foto, houve uma escolha ali de todos os elementos listados acima. Rimbaud escolheu de propósito um tema absolutamente não espetacular, não pitoresco, pois certamente ali em volta do quadro devia haver belas cenas da enfeitiçada Abissínia, tais como cavalos, mascates e mulheres coloridas.

A escolha desses despojos foi proposital. Sua irrelevância fala de um nada, de um "casual" melancólico que encontraríamos em fotos de "arte conceitual" muitos anos mais tarde, tão banais como foi a escolha da Abissínia como pátria para o poeta.

Rimbaud refaz nesse instantâneo toda a sua obra cheia de tíbias e colunas, concentradamente. Ex: "Aluguem-me este túmulo branco de cal, com as linhas do cimento em relevo, bem longe no fundo da terra. (...) acima de minha sala subterrânea, as casas se erguem; a lama é vermelha ou negra. (...) Em outro nível estão os esgotos; dos lados, a espessura do globo. Talvez abismos de azul, poços de fogo. (...) Eu sou o senhor do silêncio. Mas por que uma aparência de respiradouro empalidece no canto da abóboda?"

Há um forte suspense ali, como sentimos (décadas depois) na obra de Antonioni. No quadro vazio de Antonioni algo pode acontecer de repente. Ali também. Quem vai chegar, Verlaine ou algum fantasma?

A foto parece um fotograma, parece prefiguração do cinema. É extrema a modernidade do enquadramento, em "plano geral" (*long shot*), equalizando fundo e figura, como se fosse o início de um *travelling* para a frente, como se a câmera fosse se mover lentamente até o close do mendigo ou até mais atrás, até um *superclose* do cadeado na porta (que dá para onde? Para o inferno onde "ele sentou a beleza nos joelhos"?).

De todo modo, Rimbaud não estava apenas testando uma câmera. A tensão inerte que há nesta foto diante da matéria eterna e intransponível (apesar da escada de luz) coloca o vendedor de café na posição que Rimbaud pode ter assumido na vida. A escada de luz à esquerda pode ser para subir, mas o mendigo pode ter descido por ela, como Rimbaud também, até o fundo de seu *tombeau très loin sous terre*.

Por fim, o tempo não parou como queria Rimbaud naquela tarde de 1883, de seu balcão. A máquina registrou a imagem. O homem moveu a cabeça e desfocou a imagem. Em seguida, sua imagem despencou para dentro da câmera obscura do poeta. E a foto se fez. E então o homem moveu a cabeça em direção ao outro lado, em direção ao balcão, e viu Rimbaud. Seus olhos se encontraram. E as duas imagens começaram a ser mover em lento travelling, uma para a outra. Até que os dois enquadramentos se ajustaram perfeitamente: Rimbaud e sua loja, o homem e as colunas. E um substituiu o outro. Rimbaud ocupou o lugar exato que seu olho via ao lado da coluna, pois ali, em Harar, Rimbaud fotografava a si mesmo. O homem é Rimbaud, e a foto é a sua vida.

O pecado faz falta na feira de sexo em Nova York

A senhora de meia-idade com cabelos cor de cenoura, um *piercing* no nariz, com os seios nus e uma calcinha de couro marchetada de cravos de ferro pegou o pênis de borracha que dançava, movido a baterias elétricas, e me disse: "Temos também paus cibernéticos que você pode conectar na internet para serem comandados de longe; temos belas vaginas automáticas que constringem e se expandem e aceitamos qualquer cartão de crédito."

A seu lado, uma outra senhora, semivestida em látex cor-de-rosa, subia e descia como um ioiô, ou como uma aranha no meio de sua teia, balançando entre elásticos, no chamado *bungee fuck* — aparelho para relações sexuais flutuantes —, enquanto sua amiga na barraquinha ao lado vendia coroas-de-cristo, algemas, palmatórias e cintos de castidade cheios de pregos.

Eu estava no meio da exposição "Erótica 99", em Nova York, num imenso pavilhão dez vezes maior que o Anhembi, congestionado por lentas multidões de voyeurs. Eu entrara ali em busca de escândalo, pois queria me ver diante do "inominável", da ignomínia, e acabei descobrindo que estava num ordeiro supermercado do sexo, que mais parecia uma feira de utilidades domésticas, uma espécie de Fenit-pornô. Os estandes eram ilhas no meio de milhares de sadomasoquistas de classe média, de velhos hippies de couro e metal, de mães de família puritanas punks, de senhores severos com cabelo de arara, de mocinhas recatadas, mas com seus chicotinhos na mão. E ali me bateu a verdade inapelável e brutal: o sexo anglo-americano é triste!

O que me angustiava é que eu estava do lado do avesso do idealismo romântico de Hollywood, eu estava do outro lado do amor, eu vinha de longe, quando a sexualidade dos anos 60 ainda era uma descoberta "revolucionária", era a metáfora da liberdade mesmo, a carne viajando no tempo, a carne se livrando das peias moralistas. Ali era o ponto final. Agora, só existia a violência e, depois, a morte. Eu estava diante da "fetichização" do fetiche. Me explico, para os "normais". O fetiche depende do segredo, do perigo, da escura experiência da anormalidade. Assim como nos anos 60 tudo ganhava o emblema da "revolução", agora tudo caminha para a "naturalização", para a aceitação passiva das diferenças, para o fim de qualquer transcendência. O pecado faz muita falta.

O fetiche se fetichizou como mercadoria, os foguetes caem no Oriente Médio na programação das TVs e eu penso entre vaginas e chicotes: "Quando levaremos sustos de novo? Será preciso uma grande catástrofe final?"

Como viver, eu, ibérico, sem o pecado? As perversões se expunham ali com a maior falta de imaginação.

A democracia comercial acaba numa grande sopa de igualdades, em que cessa a angústia e, também, qualquer esperança. Será que não há mais nada a inventar, além da dor e da porrada? E por que esse sucesso do sadomasoquismo como um "Consenso de Washington da sacanagem", como o "erotismo único" nos países avançados? Onde estavam a sofisticação chinesa, a mística do kama sutra, o refinamento dos mistérios, a alegria do prazer?

Estranhos protestantes a quem só a dor arrebenta com a repressão, quando o sujeito tem de se furar, se humilhar para ter um pouco de satisfação. Só vi um negócio mais barra-pesada que era um estande de *mummification*, prática sexual em que a vítima fica absolutamente sepultada debaixo de uma tumba de couro colada a seu corpo, respirando por um canudinho, totalmente à mercê do desejo do outro. Soube também que os ratinhos de laboratório são última moda entre alguns "viados", que os enfiam pelo ânus adentro, túnel de viagens alucinantes para os pobres roedores.

Aqui também é espantosa a celebração da feiura. A beleza é evitada, como antiga, melosa, derramada. Tudo visa a esconder o belo. O antigo encanto hippie virou a coisa escura e lunar pós-punk ou sei lá o quê, porque alegria e liberdade são incompatíveis com a repressão produtiva de hoje. É tão diferente do Brasil, com nossas mulatas de carnaval dançando a utopia sexual de liberdade, na eterna bacanal florestal...

Sacanagem brasileira é próxima da brincadeira. Sacanagem americana é próxima do crime. Sexo de brasileiro é substitutivo da falta de projeto. Sexo americano é uma quebra no ritmo do progresso. Por isso, é preciso integrar o sexo na produção, como todo o resto. Todo desvio tem de virar norma.

O impressionante nessa feira de utilidades sexuais é o banimento de qualquer sombra de "relação". Não há sujeitos. Todos são "outros", todos somos objetos e nossos contatos se fazem por encaixes, como nos aparelhos de armar. Una um pênis A na vagina B, siga as instruções e arme você mesmo. Nesse *do it yourself* sexual, chegaremos à satisfação do bom funcionamento ou *your money back*. São órgãos sem corpos. Trata-se de eliminar qualquer mistério para a vida. Só vai sobrar o mistério da morte. Por isso, só me restou a perversão de tentar ser "profundo", no meio de tanta água rasa. E em verdade vos digo, irmãos: a liberdade de mercado nos levou ao "mercado da liberdade". Hoje, tudo tem de ser brutalmente iluminado, para que nada seja secreto, nada oculto, nada pessoal. Todos temos de estar visíveis, óbvios, presentes. A verdadeira proibição é a ausência de proibições, ou melhor, a proibição de ausências.

Caruaru mostra que miséria é mercado

Em abril de 96, morreram 66 pessoas na clínica de hemodiálise de Caruaru. Eu tinha feito uma reportagem do desastre.

"Agora chega! O senhor tem que me ouvir! Pensa que eu sou moleque?"

Dr. Evangelista, o ex-chefe de uma clínica de hemodiálise de Caruaru, o ex-neurologista acusado de ocultar torturas na década de 70, o doutor *honoris causa* pela Faculdade de Petrolina, parou a entrevista, arrancou o gravador de minhas mãos e sapateou-lhe em cima como uma bailarina espanhola.

Eu, pobre repórter, me encolhi num canto, olhado por seguranças-jagunços. Vi naquela ira santa a certeza fanática que era uma forma de razão. Calei-me, eu que acusara esse diretor de corrupção e desleixo, pela nova leva de cinquenta mortos.

Antes que o dr. Evangelista despejasse em mim todo o seu ódio, o outro entrevistado ali na sala, que eu também atacara no jornal, o acusado de vender órgãos humanos, o Presunto, ex-alcaguete e ex-chefe do Serviço de Armazenagem de Corpos do IML, atacou-me também:

"Só não lhe dou um tiro na cara porque tenho uma filha. Noiva. Uma filha noiva!"

(Minha reportagem tinha provocado a demissão dos dois.)

"É tiro mesmo que esses jornalistas merecem", fez dueto o dr. Evangelista. "Vocês ficam com esse lero-lero humanista, mas não sabem o que é ganhar a vida 'dentro' do Brasil real."

"Como é que o senhor quer que haja hemodiálise perfeita no coração da miséria?" (Eu olhava o gravador esmagado e os jagunços.)

"Isto aqui é uma guerra suja, meu amigo, uma guerra feita de trapos, de fezes. Veja a cara da população aqui do Nordeste; é claro que em meio a estes jegues, a estes sacos de farinha, é claro que as máquinas de hemodiálise alemãs ficam *dépaysées*, ficam 'fora do lugar'... As máquinas chegam brilhando, novinhas, mas, aos poucos, a mão invisível do erro começa a poluí-las. O governador disse que a culpa é minha pelos cinquenta mortos. Eu digo que a culpa é da Companhia Pernambucana de Saneamento, que nos manda água suja. A verdade, seu babaca, é que a culpa é bem distribuída. Há, aqui no Nordeste, a lógica da morte. Vocês no Sul podem ficar neste faniquito do 'que horror!'... Aqui não temos estes luxos. Aqui, morte é mercado, meu amigo. Quem não mata, não vive!..." (Eu tentava gravar cada frase na cabeça.)

"Ah, ah...", gemeu o Presunto, o contrabandista de órgãos. "É isso aí, dr. Evangelista, faço das suas palavras as minhas..."

"Quem não mata, não vive!", continuou o médico, sem olhá-lo. "Meu amigo, na circulação de mercadorias da morte, entenda bem, se eu ficar com frescura, estou morto também... Aqui é igual. O SUS, veja, me deu 1.800.000 reais esses meses. Grana legal. Eu sou a clínica privada. Qual meu lucro? Quanto menos qualidade, mais lucro, sacou? O SUS nos dá lucro pela 'menos-valia', uma nova figura econômica... Ah... Ah... Quanto pior o serviço, melhor. Já pensou, aguinha filtrada, tudo brilhando para aqueles miseráveis verdes de mijo que vão morrer mesmo? Eu não sou filtro de pobre! Vou lhe dizer uma coisa profunda, meu amigo, eu estudei, estudei... E, apesar da besta do meu sogro me chamar de 'incapaz', vou lhe dizer: Vocês, 'homens de bem', não estão aparelhados. Hoje, os fatos vão além das interpretações... Vem pra cá, vem para a latrina moral em que eu vivo! Ah, ah..." (O homem dava patadas no chão, gozando sua ignomínia.)

Presunto, o legista, atacou, eufórico:

"É isto aí, doutor! Sabe quanto está custando um fígado, meu chapa?" (Eu olhava em lágrimas meu gravador.) "Um fígado legal, não fígado de biriteiro, um fígado de bacana atropelado? Trezentos dólares, ali na hora, quentinho na mão. Dá pra dispensar? E o leite das crianças? Vá se danar, cara. E um bom rim? Rim do Sul, nada de rim de Caruaru!" (Ele riu para o doutor, que olhou duro.) "Pois um rim joia custa até mil dólares. E aí? Vou ficar olhando aqueles 'corpinhos' ali na mesa dando sopa? Nem pensar... É melhor que tirar rim de criança raptada. Tudo bem, não tenho nada contra; feito com classe, tudo bem, baixinho bobeou, pega, tira um rinzinho e devolve para a mãe. Mas eu prefiro cadáver fresco. Tenho filhos também, coisa e tal, e uma filha noiva! E aqui não é mole não; só tem doente. A margem de acerto é de um para cada quatro órgãos retirados. País 'sub' é fogo; é o Brasil, que se vai fazer? E o senhor já viu um necrotério? Já fez plantão em dia de desastre? Vale a pena..."

"Virou um ônibus na Dutra. Quem cuidava? O babaca aqui, que era 'caxias'. Sabe quanto ganha um legista de 1º grau? Quinhentos reais. Não dá nem para o almoço. Levava marmita. Almoçava lá na mesa de dissecação... Necrotério já foi bom, meu amigo. Havia respeito. Necrotério é verba, meu amigo, verba. É fácil falar mal..."

"Muito bem, Presunto", atalhou o dr. Evangelista, "o Presunto é um homem simples, mas disse tudo. Miséria também é mercado, idiota! Com a globalização, só nos resta otimizar os restos da feira. Veja as Igrejas Universais... Vendem o quê? Miséria para os miseráveis! Esperança para os pobres. Só tem que 'otimizar'! Miséria é poder! E os usineiros de álcool? Empregam trabalho escravo e conseguiram descolar mais subsídios para 'não haver desemprego'..."

"Ah, ah... Eu arrebento de rir! Eles usam mão de obra escrava de índios guaranis-caiuás e garotinhos de 10 anos... E ganham subsídio... Ah... Ah... E a gente paga!"

"E tem mais", voltou animado o Presunto, "agora vou te dar uma bomba, bomba! (Pisou no gravador de novo, para se garantir.) Mês que vem teremos o 1º Congresso de Comerciantes da Miséria. Para otimizar a circulação do mercado. Vai todo mundo. Lá estarão os cafetões de putinhas infantis, os escravistas de índios, os contrabandistas de órgãos (o Degas aqui), os empreiteiros de aleijados, os estrategistas de fraudes do INSS, os exportadores de nenês, todos. Tema: otimização de resultados. Exemplo: a putinha se gasta no Ceará, é exportada para Serra Pelada, depois pode ser boia-fria, depois mulher 'de ganho' pedindo esmolas e, quando morre, eu tiro os órgãos que ainda prestam, 'xotinha' claro que não! Ah... ah... Tudo no computador, sob controle... É a racionalização da produção, meu amigo, comércio sem fronteiras, tudo numa espécie moderna de Mercomerda! Sacou?"

(Eu olhei com vergonha meu gravador moralista no chão. Evangelista e Presunto me olhavam do alto. Eles eram o novo Brasil. Baixei a vista. Eu era um pobre-diabo do passado.)

Viagem ao pornocinema

Nove telas coloridas de televisão mostram pedaços de corpo humano: paus, vaginas, coxas, bocas abertas, esperma caindo, gemidos, gritos, suspiros. Sinfonia de sexo explícito nas telinhas da sala grande e refrigerada. Diante delas, nove mocinhas pálidas batem as legendas em português num computador. Banquete de sexo na sala limpa e high-tech. Homens e mulheres gritam orgasmos em inglês: *"Oh Yes!! Oh! Yes! Oh, fuck me, shamelessly! Oh my God!... Go motherfucker, come, come!!!"*

A mocinha casada, dois filhos, escreve séria no computador: "Oh... Me come, seu filho da puta!!! Vai!!!"

Estou na sala de legendagem de um dos estúdios que traduzem e copiam milhares de vídeos pornôs distribuídos no Brasil.

"Este aqui é bem típico dos filmes pornográficos. Ganhou prêmios. Olha...", me diz o tradutor, José Maria, magro, cor de cera. "Fiz Letras na Universidade Católica; agora faço a semiologia da sacanagem...", riu, tristemente.

Na tela está gemendo uma mulher morena, belíssima, podia ser estrela de Hollywood. "É a Jeanne Fine, a deusa pornô!"

Vejo que ele é meio apaixonado por ela. Jeanne Fine merece; ela é sólida e carnuda, mas romântica de rosto — doçura com perigo. No filme, ela abre uma gaveta num quarto de hotel. De dentro, tira enormes paus de borracha, vaginas de látex, grandes camisas de vênus em forma de língua, perucas, órgãos peludos e diz: "*Oh my god, this guy must be nuts.*" "Este cara deve ser muito louco", traduz a mocinha pálida em silêncio.

Um homem surge na porta do quarto. "*Oh... my... you scared me!*" "Você me assustou!" O homem está seminu, corpo de atleta, uma peruca de mulher na cabeça e ligas, sapatos altos de verniz. Sem transição eles caem na cama. Toda a relação dos dois é feita com a preocupação permanente de garantir um máximo de visibilidade para cada detalhe do corpo de cada um.

A mulher deslumbrante está com apenas uma calcinha de couro com tachas de metal aplicadas e, com esta roupa *hard*, ela roça na lingerie branca e fina do homem musculoso. Com os dentes, ela abre uma janela de renda na calcinha do homem, e começa o sexo oral. Um rosto jovem e romântico acaricia um imenso pênis grego de totem.

O tradutor me olha de lado. Estou trêmulo, com medo de perder a isenção jornalística. As mocinhas digitam em silêncio. Para disfarçar, racionalizo que nos filmes de arte há o desejo de nuançar o significado poético de cada cena, mas aqui só vemos o desejo de tudo ser absurdamente visível.

O tradutor José Maria concorda com minha frase e aponta vários vídeos. Parece um mestre de cerimônias:

"Aqui há uma amostragem boa. Ali temos *Backdoor Princess* (*A rainha do rabo*). É a nova onda do sexo anal, que é o que mais sai aqui no Brasil; ali temos um filme de lesbianismo, *Friendly Pussies* (*Xoxotas amigas*, penso); ali adiante, um filme de sadomasoquismo (o pálido José Maria fica mais corado): *Leather Pricks*; ali, na tela da Maria Goretti, é negócio de animal, mulher com cavalo, com jumento, mas isso ninguém mais está vendo. Aqui tem uns filmes de pedofilia trancados, eu nem deixo as mocinhas verem... Este aqui é um filme brasileiro: *A galinha do rabo de ouro*, com a atriz Fernanda Glauber, imagine só...

"Qual é a diferença entre o filme pornô brasileiro e o americano?", pergunto.

O tradutor me olha: "A fome! A estética da fome!"

"Num filme pornô brasileiro, eles gastam mais ou menos 5 mil dólares, no máximo... Porque filmam em três dias, montam no negativo, em dez dias tá tudo pronto. E reaproveitam cenas de outro filme já feito. Sexo é tudo igual, xoxota monta com qualquer outra, pau é tudo igual... Uma atriz pornô ganha pouco aqui... 500 reais por dia... É... Só... Só dá pra isso... Mas tem umas que fazem até de graça... Elas querem ser a Sônia Braga... A diferença entre o pornô e o erótico, as pornochanchadas de antes, eram a Helena Ramos, a Aldine Muller, Zilda Mayo... Sem penetração... Boas donas de casa... Gente fina... Já as pornô-estrelas são muitas... A Márcia Ferro era uma... Se deu bem... A Markeley Sony filma muito ainda... Mas a grande estrela foi Eliana Gabarron... Linda... Era um poema... Hoje entrou para Testemunhas de Jeová... Saudade dela..."

José Maria me preparou um festival completo de filmes americanos e brasileiros. E com ele vou analisando a linguagem do filme de sacanagem.

Assistimos a trechos de *Splendor in the Ass*, com Tori Welles, e *Ânus dourados*, I e II. José me pergunta se eu já li Greimas (o linguista francês). Digo que não. "Foi minha tese de mestrado..." E juntos vamos vendo putaria e falando de arte. E encontramos diferenças entre o filme americano e o brasileiro.

O pornô americano fala de uma sociedade em que o sexo é um luxo aerodinâmico, um excesso de civilização. No pornô brasileiro, há uma triste humilhação das mulheres. Não há excesso; há carência, há sacrifício, tristes gemidos.

O pornô brasileiro é rural (num deles estupram uma galinha). No pornô de Los Angeles pressente-se a abundância lá fora. As mulheres são heroínas dominadoras. A mulher americana é de corpo inteiro. O ator, nem o vemos direito; só o pênis o representa. Enquanto a atriz vem completa, cabelos, seios, olhos, o ator americano se resume ao próprio pau.

No filme brasileiro, vemos a fome nos rostos e corpos tristes; no filme americano, pressentimos supermercados, academias de ginástica. Os atores americanos trabalham por prazer perverso. Os brasileiros, por um prato de comida. O pornô brasileiro é político. O pornô americano é existencial.

Eu e José Maria viajamos pelos rios de "objetos perversos", pedaços de corpo, pênis, vaginas, ânus, numa *trip* ginecológica que nos dá a impressão de que o universo é feito de carne. E vemos mais, vemos *The Bitch is Back* (*A volta da puta*), vemos *Bom dia Saigon*, com a grande e famosa Aja. E vamos fixando pontos estéticos na linguagem pornô, que tanto ilumina o mundo de hoje.

"Repare que o filme pornô não cuida do décor", me diz José Maria. Realmente, os filmes se passam em quartos neutros de hotéis ou apartamentos sem estilo. Estilo *early nothing*, como disse Gloria Grahame para Glenn Ford em *Big Heat*, me fala José Maria, com orgulho de cineclubista. Olho impressionado e realmente vejo que aqueles quartos tristes, amarelos, denotam a melancolia dos autores. O cenário dos filmes de sacanagem é um triste cotidiano espionando o ardor exibicionista dos atores, a realidade desmentindo tanto tesão mágico. O cenário do pornô é a carne, um mundo infinito de corpos e de posições. Não há fundo; só há figura. Só há corpo, flutuando em quartos banais. O autor pornô não quer que haja mundo; só a pessoa. Filme pornô é em duas dimensões. Sempre parece que vai chegar o dono da casa, no filme pornô. Quem mora ali?

José Maria me diz: "Agora um clássico, não o filme, mas o ator. É o John Holmes, o galã dos 38 centímetros, o Rambo dos falos." E realmente raia na tela uma espécie de monstro de ficção científica, uma serpente pré-histórica, um minhocão do futuro, diante de uma mulher que não esconde um riso de pavor. E José: "Veja você que a *mise-en-scène* no filme pornô tende para o close-up." O minhocão de Holmes flutua no vídeo.

Olho: realmente a câmera pornô trabalha por esfacelamento dos corpos. Não há quase corpo inteiro, a pessoa, o objeto total; só existem os pedaços de corpo, as paisagens da carne. Lembro-me de Sade: "Criem um panorama de nádegas!" O horizonte pornô é um entrepernas, os montes de Vênus, a serra dos órgãos, as torres de pica, o sol se pondo entre vaginas, línguas, dentes, sempre pedaços, nunca o conjunto. Tudo de perto, como se fosse o ponto de vista de um recém-nascido querendo voltar.

Pergunto a José Maria o porquê de tanto close. Que quer a câmera descobrir na carne? José me diz muito sério: "A câmera pornô não procura belos ângulos; ela quer mostrar o impossível."

Rola diante de nossos olhos já cansados outro clássico: *Hermafrodita I* (com o slogan: *"He comes from all sides"*), e, vendo aquele louco aleijão, aquele centauro de dois sexos, sinto medo de ver uma tragédia perversa. Mas José está calmo, olhos mais vívidos. "É Godard puro o filme pornô...", me diz, "ação desdramatizada, planos saturados... Veja".

É. O filme pornô não tem história, como os filmes de vanguarda; só que fazem sucesso de público... O filme pornô é contra o cinema psicológico. Quem evolui dramaticamente é o espectador. O filme pornô, mesmo quando finge ser ficção, é sempre documentário. O filme pornô não tem começo nem fim, só tem meio. O filme pornô recusa o simbolismo. Um pau não sugere um poder futuro ou o germinar da fertilidade. Um pau é um pau, é um pau. Nem o contrário; um obelisco ao pôr do sol não sugere um pênis. Não. No filme pornô não há símbolos fálicos. Não há meios-tons. Nada é sugerido. Todo ator de filme pornô sabe que a regra de ouro do orgasmo é gozar fora. Todo contrato exige isso, para que vejamos o esperma fluindo nos corpos das atrizes. Ali está a prova naturalista. Nada é mentira e tudo o é. Abole-se a metáfora. O gozo é gozo. Pau é pau, sem conversa.

José Maria me pergunta, com voz triste:

"Para onde vão os atores depois de fazer um filme pornô? Onde moram? Com quem? Eles amam?"

Certamente, digo a ele, muitos têm família, filhos, namorados...

"É... Mas eles ostentam uma liberdade mentirosa, que ninguém tem. A autossuficiência dos atores de pornô é intolerável. Ninguém é tão livre!", me diz José Maria. O filme pornô quer nos enganar com a liberdade dos atores. Depois da excitação, ficamos tristes. Por quê? Por inveja? Por humilhação? Talvez porque o filme pornô não deixa nada a desejar. A satisfação é tão completa que dá angústia de morte.

Os atores pornôs nos mostram tudo, até o interior de seus ânus e suas vaginas. Só não nos mostram suas fragilidades, seus medos. Mostram tudo, para não mostrar nada.

Ouvindo isso, José Maria me diz que a fragilidade humana só aparece por acaso no filme pornô. Aparece num rosto juvenil, num tremor de medo, num pau que fica à "meia-bomba" de um ator mais tímido. Na "meia-bomba" está toda a humanidade. A vida pinta no filme pornô quando menos se espera.

De repente, surge o clássico com Linda Lovelace, terminando um "felatio", com a "garganta profunda" tomada pelo maior pênis do mundo e erguendo o rosto livre para a câmera, coberta de lágrimas e esperma como uma heroína santificada. É dos grandes closes do cinema e lembra os primeiros planos da *Paixão de Joana d'Arc,* de Dreyer, com uma Falconetti puta na cruz de um pênis gigante.

Em seguida, explode na tela uma cena impressionante, com aura do grande cinema: um homem sozinho num motel ama uma boneca inflável, com todas as tonalidades do amor: com afeto, com carinho, com desespero, com ódio. A boneca inflável responde a cada gesto seu, numa reação de espelho a cada tremor do homem. E ele fala com a boneca, grita com ela, bate nela, e o desamparo da boneca aumenta o desespero do sujeito, que vai entrando em delírio e espancando a mulher de látex. E ali se percebe uma sugestão de necrofilia, se vê a brutal solidão do amor, num crescendo de desespero sobre o corpo inerte da mulher. O cinema pornô ilumina a solidão devastada de todos nós.

O cinema pornô, como o mundo de hoje, quer mostrar que a coisa é a coisa mesma, como nos crimes decifrados. O filme pornô é uma viagem para dentro. O filme pornô quer nos cegar com tanta visibilidade. Assim está o mundo. Tudo tem que ter contornos claros, valor claro, como nos mercados. A pornografia está geral no mundo, na política. O mundo moderno detesta a dúvida. A pornografia é muito mais profunda que a garganta de Linda, Após a penetração absoluta, o gozo absoluto, não resta mais espaço para nenhum desejo novo. Que resta?

José Maria me mostra palidamente um velho rolo de Super-8. "Está aqui a resposta. Sabe o que é um *snuff movie*?" Sim, eu sabia, e achei mais um elo da minha pobre pesquisa. No *snuff movie* a atriz (sempre uma mulher, a vítima) é assassinada, sem saber, na frente da câmera. O *snuff movie* filma a morte real, o crime real. Esses filmes clandestinos eram disputados nos EUA. A saciedade de todos os desejos chama-se morte. Não mais a morte iminente da guerra total, mas a morte inscrita em cada objeto, nesta crueza de fim de história em que vivemos — a pornopolítica.

"Clinton foi cinema; Bush é pornô", me diz José Maria, desligando os vídeos todos. E descemos o elevador do imenso conjunto. Será que o mundo quer ver a própria morte?

No elevador, o cabineiro com um jornal na mão puxa conversa. "Este país tá uma esculhambação, meu amigo, olha aqui... Tá uma miséria!..." E mostrava a folha do jornal, com cadáveres decapitados. Mais um elo se fechou. O Brasil estava para o mundo como seus filmes pornôs para os de Los Angeles. A pornografia brasileira vai muito além dos filmes das lojinhas.

O filme pornô estende sua luz para ajudar a entender o Brasil. Faz-se um filme pornô com os mesmos motivos com que se faz uma maracutaia política. Os roteiros são os mesmos, mesmos os diálogos, mesmos os movimentos de câmera. Come-se o Brasil como se comem as pornoatrizes. Como no filme pornô, não se esconde mais nada. O "pornô-corrupto" de hoje é explícito, se orgulha disso, na política ou na violência.

Despeço-me de José Maria na avenida 23 de Maio tarde da noite.

"Eu moro perto, vou a pé", diz ele.

"E a Jeanne Fine, hein?", pisco para ele.

"É um sonho...", diz ele se afastando.

Enquanto busco o táxi, sei que estamos ligados pela mesma mulher.

A última vez que eu vi Fidel Castro

Em 1987, eu fui a Cuba e tive a oportunidade de conhecer Fidel Castro, que era e é ainda a grande atração turística para os intelectuais que visitam a ilha. Eu fui para um Festival de Cinema de Havana e ansiava por conhecer o comandante. Jovens de hoje não entendem como é difícil para minha geração falar mal do Fidel, condenar os fuzilamentos, as burrices que ele fez, porque ele "era tudo". Imaginem um bando de garotos barbudos, lindos, com metralhadoras na mão, tomando a ilha, expulsando o ditador e fundando o socialismo, sonho máximo de generosidade e beleza que tínhamos. Era apaixonante. Que saudade eu tenho daquela fé e esperança, tão diferente do "bode" preto que vivemos hoje, quando o único consolo é o cinismo.

Muito antes de ir a Cuba, eu já sonhava com ela, eu e meus amigos que faziam comigo o jornal dos estudantes, em 62/63. Eu era editor e às vezes ficava até tarde na Lapa, na redação do *Diário de Notícias*, para "fechar" nosso jornal. O socialismo era nossa religião e os operários eram nossos santos, símbolos do futuro. Os operários detinham a força de mudar o mundo, bastando que tivessem "consciência política". Eu via os operários como líderes, sentia até mesmo em sua ignorância uma beleza "pura", uma grandeza simples, superior.

Como amávamos os operários!... Na alta madrugada, fechando o jornal no chumbo, eu os olhava levando as páginas para prensar na calandra; seus braços fortes pareciam saídos de uma gravura soviética. Andava atrás deles, com ensinamentos políticos, elogios, sorrisos. Alguns, hoje vejo, ficavam desconfiados de tanto amor. "Serão bichas?", pensavam eles. Não; éramos apenas comunistas.

Passaram-se vinte e tantos anos e, em 87, finalmente, vou a Cuba. Tive até medo de ir, para não estragar minha saudade de um tempo de certezas, mas um amigo canadense, chegado de lá, cético e frio, me disse:

"Go. They have very good jazz and good lobsters."

Fui. Comi lagostas no ex-palácio do milionário Dupont em Varadero e ouvi o grande Arturo Sandoval. Mas minha primeira impressão foi um choque: as casas de Cuba não estavam pintadas; todas as fachadas de tradição espanhola descascavam em verde pálido ou em rosa desmaiado, e senti ali o primeiro calafrio de decepção, com o descuido da beleza. Aliás, o que mais me entristeceu no socialismo foi a ineficiência geral que eu senti em Cuba. O filme *Guantanamera*, de Gutiérrez Alea, é um retrato perfeito da incompetência burocrática. Mas minha fé e meu amor, mesmo em 87, me fizeram esquecer os problemas para eu me banhar no sonho que visitava.

Uma noite, fui convidado para um coquetel no Hotel Nacional, celebrando o Festival de Cinema. E a grande atração era que Fidel iria lá nos conhecer. Suspense geral entre os convidados. Tudo ficava meio provisório, porque Fidel iria chegar. Lá pelas tantas, estou de costas para a porta e senti a chegada do comandante, cercado de seguranças, que entrou pela sala como um trem. Fidel foi cercado por todos, latinos, europeus, asiáticos. Uma amiga a meu lado fez uma crítica: "Uniforme de tergal, com esse verde horroroso... Tinha de ser de puro algodão e, sei lá, outro verde..." Senti a crise do socialismo estampada naquele uniforme.

Mas tudo era pequeno diante da presença de Fidel. Era a materialização do herói mitológico, como se Aquiles aparecesse a minha frente. Enfiei-me no meio do grupo que o cercava e consegui chegar até bem perto dele. "Comandante...", falei com firmeza. Fidel me olhou, sorriu e me deu a mão. Arfante de emoção, agarrei a mão de Fidel e comecei a falar: *"Soy de Brasil... Y hago peliculas..."* Mas o grupo de tietes era voraz e Fidel foi empurrado para o outro lado da sala. Firme em meu propósito, continuei agarrado em sua mão, enquanto ele respondia à pergunta de um asiático chatíssimo falando do bloqueio. Fidel jogava como um barco e eu ali, grudado, não largava sua mão. Lembro até hoje que sua mão era quente e larga, a palma generosa e muito macia. Sua mão se aninhava confortavelmente na minha, enquanto eu tentava lhe falar. "Comandante...", comecei de novo, gago de emoção. Fidel me olhou, vagando naquele mar de gente, e eu, feito um náufrago da revolução, pressionava sua mão com fé, sorrindo-lhe, fixando-me em seus olhos para ele me ouvir.

Foi então que a mão de Fidel começou a sentir por demais a presença da minha. Sua palma começou a tremer, a estranhar aquele contato. O que fora uma irmanação política de "companheiros" foi virando uma intimidade física, com as duas peles se colando. Uma finíssima camada de suor umedeceu a palma do comandante, pois se apagava a fina fronteira entre a amizade revolucionária e o perigo homossexual: dois homens ali de mãos dadas. E a mão de Fidel começou a querer se libertar do firme aperto da minha. Ela tentou sair pela direita, pela esquerda, se contorceu, úmida, se apinhou em dedos juntos e foi se desprendendo da minha, que insistia no aperto emocionado. Eu lutava para não largar a palma do comandante, mas sua mão, cada vez mais impaciente, se apequenou e, num esforço, quase um solavanco, conseguiu se libertar da minha, enquanto o olhar espantado de Fidel cortou o meu olhar por um segundo. "Será que é uma bicha brasileira, infiltrada?", tenho certeza de que ele pensou. Não; não era uma bicha; apenas um ex-comunista, Comandante.

O pai do pai do pai

Jesus Cristo entrou no botequim e pediu um cafezinho. "Bem carioca, companheiro... Fraquinho..." O português ou o baiano ou o cearense serviu a xícara fumegante com o pires de metal...Vieram dois pivetes:

"Me dá um trocado aí... Moço, pelo amor de Deus..."

Jesus Cristo nem olhou: "Passa fora, garoto!...", disse, batendo no fundo do açucareiro de bico, de onde o açúcar saía, custoso, com moscas grudadas no topo. Ali, embaixo do "Minhocão", uns mendigos acendiam fogueiras... Uma velha louca e andrajosa gritava, no meio dos carros e ônibus que jogavam fumaça negra na cara das pessoas, enquanto Jesus Cristo tomava o cafezinho para enganar o estômago... Não comia há dois dias... Não tinha dinheiro nem para os ônibus que passavam lotados...

Jesus Cristo seguiu a pé ao longo do viaduto imenso, serpeante, que se afundava no corpo da cidade, passou por muitos mendigos dormindo, passou por montes de lixo, passou por uma fila de sopa para pobres, mas não parou nem quis nada, gostou de ter fome, como um jejum sacramental, sentindo uma grande leveza no corpo, continuou andando, quase flutuando por praças vazias, estátuas pichadas, carros de polícia rondando, bancas de jornal fechadas, vendedores desabados no meio-fio, taxistas dormindo, ratos passeando sem pressa, gente roncando dentro de caixas de papelão e cobertores de aniagem, até que, debaixo de uma marquise, entre altas pilhas de caixotes, encontrou uma mulher levando à boca o cachimbo de crack, uma mulher jovem, pálida — "talvez do sul", pensou Jesus Cristo —, vendo a mulher com o corpo meio à mostra, coxas aparecendo sob o vestido rasgado, os cabelos revoltos e ruivos, quase tão ruivos como as fogueiras crepitando ali perto. A mulher chupava o cachimbo de crack acendendo com força e tragou a fumaça bem fundo, sentindo o ansiado "baque", o vertiginoso calor no peito e a zoeira dentro da cabeça, justamente na hora em que Jesus Cristo se aproximou dela, quase deitada na calçada com as pernas abertas sob a saia suja, sendo que, para ela, Cristo pareceu uma nuvem azulada e brilhante e ela viu Cristo se deitando sobre ela, entre suas pernas abertas, e ela sentiu um outro "baque" também, o rosto dele, seus olhos se aproximando, a zoeira batendo e ela vendo o Cristo roçando em seus lábios, arfando. Ao longe, para além do viaduto, atrás da fábrica, a mulher via a estrela de neon da cervejaria que piscava prateada. E ela ficou contemplando a estrela enquanto Cristo se agarrava em seus cabelos de fogo, misturando a boca na sua boca ainda cheia de crack e gemendo entre seus seios. E ela ainda olhava a grande estrela branca, quando Cristo se ergueu e se afastou, sorrindo para ela e, depois, se virou e foi sumindo, seguindo a linha do viaduto negro e pontilhado de fogueiras, enquanto outra louca gritava entre os ônibus, sendo que a mulher de cabelos de fogo achou estranho que o "baque" do crack não passava, como um "barato" raro, longo, que lhe dava a sensação de boiar acima da calçada. A mulher ficou deitada a noite toda, sem fome, sem sede, sentindo dentro do corpo uma paz desconhecida e olhando a estrela de neon, que parecia se mover.

Meses depois nasceu-lhe um filho debaixo do viaduto, que foi colocado dentro de um caixote de maçãs argentinas. Alguns vagabundos ajudaram no parto, juntamente com uma velha que tinha sido enfermeira e, em seguida, levaram o menino para o hospital, na caixa de maçãs que, como afirmou um dos mendigos depois, "parecia um barco todo iluminado, o caixote de maçãs...!" — se bem que isso pode ter sido efeito do crack que também "baqueara" o dito mendigo.

O menino era a cara do pai e cresceu por ali, pediu esmola junto aos escapamentos dos carros, nadando nos laguinhos das praças públicas, limpando para-brisas na rua, cheirando cola na praça da Sé como todo menino normal da sua turma e depois ficava olhando a estrela da cervejaria de neon que brilhava entre outros anúncios no céu sujo e preto.

Um dia, com eficiência milagrosa, com elegância de malabarista, passou a extrair dinheiro do bolso dos otários, sem que nenhum percebesse. As carteiras voavam para suas mãos, as pastas se ofereciam abertas, as notas fugiam dos bolsos dos passantes, os anéis escorregavam-lhes dos dedos, os relógios se desatavam no ar e choviam-lhe nas mãos, e jamais os policiais conseguiam pegá-lo, pois ele escapava das algemas como mercúrio, parecia ter asas ou motor nos calcanhares.

Cresceu pelas ruas e passou a viver nos puteiros e *strips* do Centro, onde conversava muito com as prostitutas jovens, que se amarravam em sua palidez, em sua barba macia, seus olhos negros e fundos. As meninas gostavam de lhe dar o corpo e até o dinheiro ganho dos fregueses, se bem que ele nunca pediu, apenas agradecia sob as luzes vermelhas e verdes, ao som dos boleros românticos.

Até que um dia ele sumiu, e seu cadáver foi encontrado num poste, amarrado, com os braços abertos, seminu, todo furado de faca. As meninas choraram muito, queriam enterrá-lo, mas o rabecão chegou e o corpo sumiu. Tempos depois, várias mulheres do La Vie en Rose, bem como algumas putinhas do Crazy Love Relax for Men, onde ele trabalhou como garçom, apareceram grávidas. Algumas pensaram em tirar, mas todas acabaram dando à luz meninos que eram a cara do pai. E eles também vieram a correr entre fogueiras sob viadutos, roubaram carteiras e relógios com grande perícia e elegância, cheiraram cola e, nas nuvens da zoeira, olhavam as estrelas de neon brancas no céu preto de café.

E eles também cresceram e se multiplicaram, e também tiveram filhos. Todos muito parecidos com o pai. E com o pai do pai.

O latino assassino

"*Mi cabeza está un burrito, señor, si, burrito*", aquela comida cheia de legumes e pedaços de carne misturados, *"mi cabeza"* está assim. Matei, sim, eu matei o cachorro, *"I confess, my name is Arquibaldo"*, sim, senhor juiz. Não sei ler... Não sei como soletrar meu nome, Arquibaldo, de Tampico.

Eu cheguei aqui nos Estados Unidos pelos fundos. Eu fiquei lavando prato na cozinha daquele restaurante na fronteira, até que um dia a porta da cozinha abriu e eu vi que eu não tinha chegado na América ainda, que eu ainda estava na fronteira, naquele cano de esgoto cheio de ratos que eu atravessei, senhor juiz, que eu não tinha chegado na sala onde estavam aquelas mulheres louras, aqueles gordos de terno, que eu nunca ia chegar lá.

A mesma coisa eu senti, depois, quando eu trabalhei num *hamburger joint*, e quando eu dava o sanduíche, eu pensava: "Por que eu sempre estou do lado 'de cá' do sanduíche?" E foi aí que eu reparei que ninguém me olhava. Sim, eu sou baixinho, com esta cara de índio e esse bigodinho que eu acho bonito — também *"tengo mi vanidad"*, Mr. Judge —, mas ninguém me olhava, nem os negros, nem os brancos. Eu pensava: "os negros olham os brancos, os brancos olham os negros. E eu, por que não me olham?" Quando eu fui trabalhar na "deli" do coreano Kim, ele não falava inglês nem eu, e ele não me olhava, só gritava e eu tinha de adivinhar: "Lava o chão, limpa a privada!" Uma vez, o capataz do rancho do Texas em que eu trabalhava 16 horas por dia disse: "Se tiver um 'chicano' ou um preto na fila, eu pego o chicano que é mais barato e faz melhor '*dirty job*'!" Eu comecei a me achar invisível, *señor*, e entendi que eu era o "preto dos pretos" e que eu tinha de fazer o trabalho sujo que ninguém pega na América. E eu ficava olhando os porcos berrando, e eu enfiava a faca no pescoço deles, e eu só via minha mão, com a faca matando porco... Tem fazenda que mata com choque, mas essa era de faca. O senhor acha que o negro mais negro *fucked up*, duro, vai matar porco? *"No way, no fucking way sir..."*, nem depenar galinha, porque o senhor, *"sorry"*, vai no restaurante comer galinha com batatinha e nem sabe o que é ficar estrangulando uma galinha, "Uéé, outra galinha, 'uéé', outra galinha, 'uéé!!" A gente arranca a cabeça e a galinha pula. Eu gostava de ver galinha pulando sem cabeça. Eu empacotei carne, colhi maçã, algodão, fiz faxina na rodoviária, e então, eu fui percebendo que meu valor era justamente "não ser" olhado, que eu valia ao contrário, quanto mais sujo, mais silencioso, mais eu valia. O coreano ou o chinês ou o irlandês me esculhambava e eu dizia: *"Si señor...."*. Eles não querem os pretos, que preto só reclama, canta "rap", fala *"brother"*, e só veem a divisão entre os brancos e eles. Eu, não, eu sorria, eu descobri que, quanto mais sorria e dizia "*gracias*, senhor", eu ganhava mais, *si senor*, minha boca doía de tanto eu sorrir, eu já vivia de boca aberta, sorrindo...

Então, eu descobri que nós "chicanos" não reclamamos de nada, a gente obedece e vale pouco. Este é nosso valor. Nada temos, nem coragem, nem consciência, nem orgulho. Esta é a mercadoria que temos para oferecer... Se a gente conseguir ser bem sujo, bem miserável e barato, como nós somos 30 milhões na América, pode ser que a gente volte para casa mais rico, mais bonito, feito lixo reciclado.

Foi nessa época que eu comecei a distribuir folhetinho ali na Oitava Avenida para os homens verem as mulheres nuas no *peep show*; eu distribuía o folhetinho e dizia: *"Come on, man, enjoy the show, live nudes, big tits, girls!!"* e depois, de madrugada, eu ia limpar as cabinezinhas onde a moçada tocava punheta, *si señor*, pois o cara ficava olhando pelo vidro a mulher tirar a roupa e abrir as pernas e o cara ali, *jerking off*, tudo bem... Cada um sabe de si. Ninguém me via, ninguém falava comigo, eu era *el hombre in-*

visible que limpava o papel higiênico embolado no chão e eu achava que a mulher do outro lado do vidro estava me vendo. Uma vez, uma mulher dormiu ali, eu fiquei vendo ela dormir nua na cama, eu, que nunca conheci mulher. Foi nesse tempo que eu dei para chorar, sem motivo; eu chorava assim, de repente, porque o coreano, digamos, gritou comigo: "Kiau!" Ele gritava assim: "kiau!"... Feito um gato... E nessa época eu dormia no fundo da "deli" do coreano, em cima de uns sacos e num cantinho longe tinha uma televisão que eu ficava olhando até dormir e, um dia, na televisão, eu vi um anúncio de "taco", aquela comida do Taco Bell, que era um cachorrinho falando espanhol na TV, um cachorrinho mexicano com cara de coreano, um "chihuahua" anunciando "burritos". O cachorro falava espanhol e me olhava no olho. Acho que a primeira pessoa que me olhou na América foi o cachorro da TV, falando espanhol. Ele me dizia: "eu sou você... *Tu eres yo, yo, yo*", me olhando e rindo, o cachorro. Aí eu não consegui mais trabalhar, ficava parado e aí o coreano me mandou embora gritando *"Crazy, crazy... Loco, loco!"*, e aí eu fiquei andando pela rua, e eu fui nos evangélicos, fiquei cantando e não adiantou, pois o cachorro não me saía da cabeça, latindo "yo, yo, yo!". Aí, eu fui na televisão ver se achava o desgraçado do cachorro, e era o programa daquele Jerry Springer, com uma porção de "latinos" batendo uns nos outros e gritando: "Yo, yo!" e eu via aquelas cortinas douradas, aquelas luzes azuis, os "chicanos" cantando e as mulheres dançando de vestido vermelho... E aí... Aí... É que chega, Mr. Judge, a explicação de por que eu estou aqui. *"Muy bien"*, neste dia eu tinha ido ao coreano, tentar receber meu dinheiro, com o cachorro na cabeça cantando 'yo yo yo'. Quando estou lá dentro, eu vi o outro cachorro que a mulher loura tinha deixado preso na coleira, enquanto ela comprava salada, e foi aí que eu peguei a faca do coreano e matei o cachorro dela, que era branco e com a carinha encolhida também de coreano e eu enfiei a faca nele como eu fazia com os porcos no Texas e aí a mulher começou a berrar e o coreano gritando *"Crazy!"* e os homens me pegando e aqui estou eu, *señor* juiz, falando com *usted*, senhor, que também está me olhando, *gracias*. E devo lhe dizer também, Mr. Judge, que nunca me senti tão bem, senhor... Sinto-me *"muy feliz... I am very happy, senhor... muchas gracias..."*

A noite do grande orgasmo brasileiro

A noite de amor ia ser total. Os dois estavam preparados, popozudos, poderosos. Ele era lindo, sempre malhou como um operário e construíra panturrilhas sólidas, bumbum empinado, sorriso branco e cintilante, gestos decididos, olhar de águia, voz nítida de locutor de FM, cuequinha *slip* para valorizar o pintinho e impressionar no desnudamento. Ele falava em Bolsa, globalização, música pop e era, em suma, uma bela colagem das caras e dos corpos das revistas, uma alegoria de charmes dentro da qual seu "eu" se escondia, soterrado sob a capa da "personalidade" para a mídia. Ele funcionava com ritmo de videoclipe, sem pausas, com a precisão dos celulares digitais, dos notebooks, para fazer dela a grande dama da noite no mágico motel em que entravam, na Suíte Imperial, a suíte das piscininhas quentes, das cadeiras ginecológicas e dos consoladores de borracha, dos espelhos bisotês e das camas redondas com colcha de zebra.

Ela entrou no quarto como uma grande felina, uma linda onça dentro da minissaia de couro, ela, que tinha esculpido todo o corpo em muitas lipos, ela, que tinha renascido pelo silicone, ela, com as coxas de ouro, ela, com correntinha no tornozelo, calcinha fio-dental planejada para enlouquecê-lo, ela, com desodorante vaginal, ela, que sabia abrir as pernas como uma Sharon Stone, ela, que cultivava pelinhos nas coxas que o marido rico (oh, pobre corno trabalhador na mesa de over) gostava de lamber, ela, perua chique, com sorrisos oblíquos, olhares febris, a boquinha de falso medo, ela também com o "eu" soterrado entre mil adornos, ela que estava finalmente preparada para o sucesso total, para a plenitude do sexo, o pináculo de um narcisismo pós-moderno, ela que estava diante de um mix de Bruce Willis com Gianecchini, galã que deixava cair frases soltas como "de pagode eu gosto, mas prefiro o axé-music", ela que respondia "depende, eu prefiro música italiana", ele que cantou imediatamente *Dio Como Ti Amo*, ela que emendou num dueto enquanto ele lhe dava o primeiro beijo, conferindo no espelho a pose, ela que deu um suspiro de êxtase, preparando-se para a grande noite que começava ali, no Crazy Love, o motel que flutuava em volta deles, com seus espelhos que testemunhariam o vulcânico encontro dos dois titãs do sexo, o macho perfeito contemporâneo versus a fêmea reconstruída para a sedução, ambos ali, prontos para o encaixe profundo que os transformaria numa engrenagem uivante, nas duas roscas frenéticas do fabuloso encontro sexual do século XXI.

Claro que alguns insetos, alguns fiapos de preocupações, ainda rolavam em suas cabeças, mas eles estavam precavidos; ele, com seu Viagra tomado uma hora atrás, com seu Prozac do meio-dia, com o "pensamento positivo" que lera em Lair Ribeiro; ela, com seu Lexotan já engolido, com a lembrança do marido usada como afrodisíaco perverso, o marido trabalhando e ela ali, pronta para dar.

Essas nuvens negras de depressão eram espantadas como moscas importunas, escorraçadas por beijos de língua mais intensos que o desejo real e suspiros de exagerado tesão que competiam em volúpia, pois aquilo não era propriamente um encontro, mas a luta por um Oscar de melhor interpretação.

Ele quase deprimiu, quando, por exemplo, os peitos siliconados da mulher boiaram na piscininha e ele pensou nos patinhos do lago de sua infância. Ela vacilou, vendo seu pintinho ainda um pouco triste, sem fulgor vítreo, ostentando leve meia-bomba, mas estas sombras foram logo dissipadas pela esperança do amor pagão. Não dava nem para imaginar o orgasmo que atroaria o motel todo, matando de inveja os casais, inquietando garçons e faxineiras pobres, um orgasmo "reichiano", completo, quase político, o grande urro da modernidade do novo Brasil que, lá fora, se construía para um amanhã globalizado.

Eles eram os protagonistas do choque de luxúria que percorria o país, nas revistas, nos outdoors, nas saunas *relax* e bailes funk. Eles não estavam ali em busca da paixão, mas para perpetrar um grande gol, o recorde de todos os desejos, o coroamento de uma ideologia narcísica.

Os encaixes foram se fazendo entre as duas máquinas, os corpos cavernosos se encheram de sangue, os seios ficaram túrgidos, os lábios se lubrificaram, as mãos se torceram mas, estranhamente, nada sentiam, por mais que exagerassem nos suspiros sensuais. Todas as posições eram tentadas, com olhares de esguelha no espelho, a música techno continuava, os beijos se multiplicavam, mas nada sentiam, e um frio desespero tomou-os, o que o fez sorrateiramente engolir mais um Viagra e que a fez redobrar gemidos, pensando na inveja das amigas, pensando na própria bunda perfeita, no choro do marido corneado, até que um grande grito furou a música techno e não era o tal orgasmo brasileiro tão esperado. Não. Não chegou a haver uma explosão de prazer, apenas um estalo e um berro de horror, o homem com uma forte pujança erétil, um imenso pênis inquebrantável apontando o céu, gritando com a boca invadida por uma onda amarga de silicone, tentando segurar o grande seio que vazava como um odre furado, sob os uivos da mulher que apertava a cicatriz desfeita, enquanto os dois "eus" deles corriam pelo chão do motel como dois ratinhos sem rumo, seus rostos em pânico no espelho, a música techno os expulsando, eles se vestindo correndo, fugindo para o pronto-socorro, onde foram logo atendidos, graças à sua boa aparência e ao BMW prateado, onde causaram grande curiosidade entre os enfermeiros, pois, como rezou o boletim de ocorrência, "os pacientes tiveram tratamento urgente, ela recebendo uma sutura no seio vazante e ele com banhos frios para fazer regredir o membro recalcitrante que se recusava a baixar", os dois virando um caso de eterna gargalhada para os plantonistas, a grande piada que iluminou tantas noites tristes, naquele hospital de luzes mortiças, madrugadas de atropelados e vítimas de balas perdidas.

No chão de Copacabana

Casca de ovo com resto de clara, cigarro recém-atirado ainda soltando fumaça, sete (exatamente sete) palitos de Chicabon, sacola de uma loja não identificável (ele não sabia ler) para poder ser transmitida com precisão (transmitiu apenas "saco de loja de calcinha de mulher") e ainda outros objetos de menor importância, a saber: pente banguela, meia capa de revista, cocô de cachorro, volante de loteria esportiva, barbante sujo e enrolado feito uma minhoca, um sapato de bebê enlameado, um band-aid velho e mais pó, sujeira e terra, tudo na calçada preta e branca ondulante de Copacabana. Anjenor transmitiu para os seus familiares (pelo rádio secreto) tudo o que via no chão, na trilha exata que seguia todo dia:

"Alô, alô, barraco verde-e-rosa, papai está chegando, câmbio!" Anjenor transmitiu por seu rádio-espacial-mental, instalado bem atrás de sua língua (ele que nunca mais falara com ninguém desde aquele dia fatal), ali da rua cheia de Copacabana.

O caminho era sempre o mesmo. Anjenor sabia; e todo dia ele seguia as mesmas regras minuciosas, as instruções recebidas do alto para que tudo acabasse bem e ele pudesse descansar em paz.

Seguia os detalhes da calçada, cada minúcia do chão, enquanto ia em direção à vitrina das TVs. Na calçada, ele via a torrente de pés e sapatos, e tudo ia transmitindo, em seu caminho perfeito: rodas dentadas de carrinho de bebê, tamancos medonhos, jacarés de solas pregueadas, saltos de perfurantes agulhas, toque-toque de muleta de aleijado, ponte imóvel de perna de mendigo exposta ao público com chaga e gaze suja que ele pulou, sandálias japonesas dissimuladas, joanetes disformes de pés nus, roda de velocípede e macaco mecânico num carrinho batendo tambor de lata e que ao passar lhe lançou claro olhar de gozação. Outros olhares luziam sobre ele (ele conhecia), como se fosse um louco falando sozinho, pois ninguém sabia de seu rádio-espacial-mental instalado atrás de seu último molar, mantendo contato direto com sua família no barraco verde-e-rosa. "Aproxima-se a hora, pessoal, vitrine à vista! Câmbio!", transmitiu ele da calçada de Copacabana.

Anjenor sabia que teria de passar ainda em frente à eterna loja das TVs, muitas televisões brilhando como uma parede de luz, mudando todas as imagens ao mesmo tempo, num xadrez colorido. Sabia que cada vez que passasse em frente à loja, quando ele pusesse o pé no limite exato na aresta esquerda da vitrine, nesse momento preciso as televisões apagariam suas cores e uma nova imagem se acenderia em todas as telas. E ele nem olharia, pois já conhecia a imagem desde a primeira vez que a viu (há mais de dois anos), quando passava ali e vira a notícia que o homem do noticiário dava, mostrando o topo do morro onde ele morava e os barracos pegando fogo e todo mundo correndo e os bombeiros tirando as macas brancas de um barraco que ainda pegava fogo e ele vendo os rostos das crianças e da mulher na maca e ele não sabia por que nesse momento ele voou vitrine adentro, afundou-se na tela de TV e surgiu no alto do morro, gritando, gritando e vendo os bombeiros descerem com as macas e com sua mulher e filhos, morro abaixo.

E desde esse momento ele entendeu (conforme instruções do Alto recebidas por seu rádio-espacial-mental) que teria de percorrer todo santo dia o mesmo caminho em frente à vitrine, para que tudo pudesse ser mantido sob controle e os seus entes queridos passassem bem.

Então, Anjenor pôs o pé na fímbria da onda negra desenhada na calçada junto à vitrine. Com seu retângulo pendurado nas costas, onde se lia "Compra-se Ouro" (o patrão, lógico, não ele), ele mais parecia uma tartaruga que um homem-sanduíche, e olhou em volta a rua de Copacabana, que, como de hábito, estava animada como um carnaval de arlequins. A rua toda dançava como uma gelatina e ficaria assim até ele cumprir o ritual diário obrigatório: o ônibus chacoalhava e batia a queixada do para-choque, ameaçando-o com os olhos rodando dentro dos faróis; na marquise da academia de ginástica, o anúncio do homem musculoso mostrava o braço violento para ele, o neon da lanchonete já acendia o raio vermelho que ia fulminá-lo, sem contar os olhares dos passantes, que riam, riam, riam dele.

Mas tudo isso ia terminar em breve (ele sabia).

Então, chegou a hora decisiva. Ele deslizou o pé com minúcia, seguindo a linha da onda negra desenhada no chão de pedras portuguesas. Equilibrou-se por sobre o traçado oscilante da calçada como se fosse um artista de circo num arame alto. Limpou cuidadosamente com o pé cada detrito no caminho (era necessário que o chão ficasse impecável); chutou cada ponta de cigarro, cada chiclete, cada pedrinha.

Anjenor nem olhava para a vitrine ao lado, pois sabia muito bem que o fogo se repetia sem parar nas telas das TVs com o barraco, os bombeiros, as macas; nem olhava para a rua, pois sabia do ônibus rindo dele, o halterofilista de neon ameaçando-o com o braço e o raio de morte da lanchonete fulgindo como um punhal de neon.

Confiante, Anjenor transmitia para os seus, pela rádio-mental: "Calma, pessoal, dentro em pouco vocês vão estar salvos! Câmbio!..."

Anjenor conhecia cada milímetro de chão e sabia que, como fazia há meses, tinha de refazer exatamente tudo o que fizera no dia em que, passando, vira a terrível notícia na TV da vitrine.

Só assim os seus podiam ser sempre salvos.

Já limpara o chão até a metade do caminho e estava chegando a hora de pensar aquele pensamento que ele estava tendo no dia em que vira o barraco pegando fogo; e aí, no segundo exato, pensou o pensamento. Agora, só faltava saltar a rachadura da calçada, evitar a pedrinha lascada, limpar com o pé ágil a última guimba de cigarro, pular com os pés juntos para a onda branca de pedras portuguesas e, então... Olhar para a vitrine!

E, como sempre, tudo se refez!

As imagens do barraco em fogo começaram a arder para trás, as macas andaram para trás (ele sabia e olhava ofegante e triunfante), e as imagens voltaram em marcha a ré, e o barraco luminoso e colorido se refez como trucagem de cinema, e as chamas se apagaram, e as macas sumiram e as crianças e a mulher reapareceram na porta e na janela e o barraco verde-e-rosa, cheio de luzes feito nave espacial, subiu no céu do morro, com os filhos e a mulher dentro! Salvos.

E o ônibus parou de rir, o neon se apagou, o halterofilista se amansou e a rua inteira ficou calma, e ele ficou calmo, e pôde sentar no seu canto de calçada, feliz com a salvação da família, e pôde transmitir contente para a nave-espacial-barraco, que flutuava nos céus das TVs, linda como um comercial: "OK! Papai já chegou!... Está tudo OK... Durmam bem e até amanhã... Câmbio!"

Sentado no chão da avenida Copacabana, Anjenor já podia descansar em paz.

Caro Rubem Braga

Escrevo-lhe estas mal traçadas linhas para comemorar seu aniversário de 100 anos. Sei que me condenaria por esse começo de artigo, pois você lutava contra os lugares-comuns da imprensa. Uma vez me disse que demitiria qualquer redator que começasse um texto com "Natal, Natal, bimbalham os sinos" ou então "Tirante, é óbvio..." ou ainda "O comboio ficou reduzido a um montão de ferros retorcidos". Sei que, odiando lugares-comuns, você estaria rindo das homenagens que lhe prestam — velhinho com 100 anos sendo tratado como um ser especial, logo você que sempre quis ser um homem comum, sem lugar claro na vida. Você não tinha nada de "especial", nenhum brilho ostensivo; você não falava muito e tinha a melancolia que lhe dava o posto de observação privilegiado para ver a vida correndo a sua volta "aos borbotões, a vida ávida e passageira" (perdoe-me de novo...).

A primeira vez que nos vimos foi por volta de 1975, quando lhe pedi autorização para usar *Ai de ti, Copacabana* como título de meu filme *Tudo bem*, que acabei não usando; mas, bem antes disso, eu tinha visto você de longe no Antonio's, nosso bar mitológico, brigando com o Di Cavalcanti ("para de pintar mulatas que você não come!"), e tinha lido crônicas geniais como *Um pé de milho* — você observando um grão virar pendão em seu jardim, você, um feliz fazendeiro da rua Júlio de Castilhos.

Vi você vendo o outono chegar em Botafogo dentro de um bonde, vi você vendo as estações do ano voando sobre Ipanema (desculpe as aliterações...), vi que você via a cidade por baixo das casas e dos edifícios, a praia dos tatuís hoje sumidos, o vento terral soprando nas praças, senti que você tinha uma saudade não sei de quê, uma nostalgia repassava suas crônicas, como em Tom Jobim, em Vinicius, numa época em que a literatura era importante, em que o Rio tinha a placidez baldia de uma paisagem vista de dentro; lembro-me de você espinafrando a destruição de Ipanema pelos bombardeios criminosos de Sergio Dourado e Gomes de Almeida Fernandes, os dois malfeitores que exterminaram a zona sul em poucos anos. "Eu sou do tempo em que as geladeiras eram brancas e os telefones pretos" — você batia na mesa — "e eles destruíram tudo!".

Suas frases ecoam na minha cabeça, não por alguma profundidade ambiciosa, mas justamente por uma "superficialidade" buscada, como uma conversa de amigos íntimos. Não vou citar nada, mas estou no Rio, em frente ao "velho oceano" (ah! Cuidado com o "rocambole"!...), são seis da tarde e vejo ao longe as ilhas Cagarras envolvidas numa névoa roxa, naquela hora em que a linha do horizonte se une ao céu, com o mar imóvel, sólido e cinzento.

A segunda vez que o vi foi em sua casa, numa festa pequena para amigos em que eu entrei sem ar (quem me levou?). Ali na varanda em frente a Ipanema estavam homens que eu temia — ídolos de minha juventude angustiada. Ali estavam tomando uísque o Vinicius de Moraes, você, Fernando Sabino e minha paixão literária máxima: João Cabral de Mello Neto, o gênio da poesia. Danuza Leão também estava. Todo mundo meio de porre, principalmente o João Cabral, que bebia mal e implicava com o Vinicius numa agridoce provocação, criticando-o por ter abandonado a poesia pela música popular. João Cabral odiava música, que lhe doía na cabeça como um barulho, estragando seu pensamento obsessivo, piorando suas horrendas dores de cabeça. João Cabral sacaneava o poeta: "que negócio de *Garota de Ipanema*, Vina, você é poeta!" O Vinicius ficava puto, mas respondia conciliatório: "Para com isso, Joãozinho; deixa isso pra lá!" O Cabral insistia: "que tonga da mironga do kabuletê que nada...", a ponto de Danuza ralhar com ele: "Deixa de ser chato, João Cabral!" Lembra disso, Rubem? Imagine minha emoção de jovem tiete ao assistir àquela briguinha íntima e mixa entre minhas estrelas. A honraria me sufocava. Você ria dos dois ali no seu jardim suspenso, como um operário de outra construção — crônicas sem ambição e por isso mesmo muito além de teorias.

Lembro que, em dada hora, o João Cabral me segredou (Oh, suprema alegria!...): "O mal que Fernando Pessoa fez à poesia foi imenso." Tremi aliviado, pois secretamente sempre achei a mesma coisa — aqueles delírios portugueses lamentosos e subfilosóficos sempre me encheram... (Por favor: cartas me esculachando para a redação.)

Que pena que não lhes conheci mais intimamente, pois tinha medo de vocês — não me achava digno. Naquela época (ínicio dos 70) havia tempo e energia para se discutir literatura. Hoje, neste tempo digital e veloz, ou temos o derrame de besteiras nas redes sociais ou porcarias de autoajuda nas listas de best-sellers.

Só. Naquela época havia o consolo de um sentido, mesmo sob a ditadura, que até enfurecia nossa fome de verdade.

Tenho saudade das polêmicas sobre "forma", sobre "mensagens" até caretas, tenho saudade "das velhas perguntas e das velhas respostas", como escreveu Beckett.

A última vez que nos vimos, Rubem, foi numa noite chuvosa em que saímos do Antonio's meio de porre e eu lhe dei uma carona até a rua Barão da Torre. No carro, você me contou, rindo, com a voz pastosa, que aparecera uma garota de uns 18 anos em sua casa que resolveu se apaixonar por você e que ia ao seu jardim para "dar ao mestre". "Não sei o que ela vê em mim, mas vou comendo..." Adorei a confidência, mas vi que você estava mais velho e cansado, mais bêbado do que eu. Ajudei você a sair do carro até a portaria de sua pirâmide, onde deixei você, meio grato e meio irritado pela ajuda.

Depois, você morreu. Soube emocionado que você contratou a própria cremação. Foi a São Paulo e o funcionário perguntou: "Pra quem é? "Para mim mesmo", respondeu você, poeta macho.

Por isso, quando vejo esse papo todo de "fazendeiro do ar", de "poeta do cotidiano", imagino que você diria: "Não me encham o saco. Sou apenas um pobre homem de Cachoeiro de Itapemirim..."

Grande abraço e parabéns pelos 100 anos.

A.J.

Eu e o ovo transgênico

Estava cozinhando um ovo transgênico quando a panela me avisou: "Você quer ovo mole ou duro? Tecla A ou B?" Apertei B. A panela se abriu querida e, de dentro, flutuou o ovo, sua casca alvíssima onde se lia: "Trans-egg Inc." Lembrei-me, por segundos, de meu galinheiro da infância, cheio de titicas, de penugens, onde íamos catar os ovos das poedeiras ainda quentes, e isso me deu uma saudade dolorosa. Meu Deus, onde estará meu galinheiro intemporal? A panela me perguntou: "Sal e pimenta?", usando a voz digital "mãe querida" (*dear mum*), o que me dava tristeza infinita. Mudei para voz de "empregada gostosa" (*bimbo maid*) e sorvi a baba amarela, com vontade de chorar. Cozinha branca, ovo branco e eu pálido e sozinho. Eu não tinha mais "presente". Onde estava minha vida? Minha vida tinha virado uma promessa de "futuro" que nunca chegaria. Só nos vendem o "amanhã". O futuro virou uma cenoura na frente do coelho, sempre fugindo para mais longe, sempre desqualificando cada vivência que temos hoje. Tiveste uma bela noite de amor? Isso não é nem sombra dos hiperorgasmos que virão, dizem os anúncios.

Pensei no Joli, meu cachorro clonado, que logo captou meu desejo e veio com a coleira na boca. Joli pulava e abanava o rabo, mas algo nele era falso, abanava o rabo muito ritmadamente e os latidos eram apenas suaves soluços, pois essa raça clonada não latia, para não aporrinhar os vizinhos. Dei-lhe um pontapé na esperança de ouvir ganidos verdadeiros, mas Joli fugiu para um canto, lançando-me um olhar irônico e rancoroso. Olhei em volta. Vivia cercado de confortos que eu não pedira. Não era verdade que a vida ficara mais fácil, neste tedioso século XXI. Meu desejo era um reles pretexto para uma infernal modernização da vida. O mercado satisfazia tudo com uma rapidez horrenda: minha fome, meu tesão, meu amor, enquanto o Nasdaq não parava de subir, mesmo depois de dois *crashes* sinistros, quando tivemos a bonança de milhões de suicidas caindo dos prédios de Wall Street, Tóquio, avenida Paulista. Como foi bela aquela chuva de executivos, como era delicioso ver os paletós e as gravatas voando, os gritos, os plafs, os plufs, tudo parecia uma volta ao passado, ou melhor, ao presente que nos tinha sido arrancado.

Sou (ou era) escritor e tento ser cada vez mais superficial, nesta competição mercadológica que assola os artistas. Tentei ser uma besta completa, mas os editores dizem que meu texto, embora laboriosamente ridículo e raso, ainda contém um *arrière-goût* de amargor que não consigo apagar. Sempre há alguém mais imbecilmente comercial que eu. Estou só. Olho em volta as telas zumbindo, o Bloomberg, os índices rolando, a música ambiente, os quadros vivos, as esculturas holográficas, as ofertas da TV, a listagem das mais recentes prostitutas da web, e penso: "E se não houvesse mais desejo?" Eu posso escolher o filme que quiser ver ou a música que quiser ouvir, mas, nessa aparente liberdade, quem me pergunta o que eu acho que quero? A interatividade é uma falsificação da liberdade, já que transgride meu direito de nada querer. Eu não quero nada. Não quero comprar nada, não quero saber nada, vão todos para a puta que os pariu! Mas quem mandar à puta que o pariu? Quem me oprime? Ninguém. Temos de responder a perguntas sem boca. Santo Deus, que fizeram com o pobre macaco que eu sou, aqui, milênios depois da floresta, sentado nesta cápsula sem vida? Que fizeram de nossos uivos, de nossa fome? Pensei em arejar um pouco nos Misery Tours, aqueles voos rasantes sobre as favelas muradas (*exclusion zones*), para aliviar meus olhos com gente em farrapos, gritos de angústia, mas esse divertimento já não me consolava. Pensei em treinar tiro ao alvo nos moradores das "zonas de desespero", mais excitantes e sangrentas, mas desisti. Minha mulher tinha *logged off* para outros sites, largando-me por gente mais animada, *clubbers* encharcados de *ecstasies*, *flippers*, *peppers*, *fuckers* e *shitters*. Mas não pensem vocês que vivo numa espécie de 1984, com "Big Brothers" no controle. Nada disso. Nenhuma razão totalitária nos rege. São milhões de produtos que, como prostitutas, clamam por nosso consumo. Tenho certeza de que um grande *crash* virá, não digo das Bolsas.

Falo de um *crash* da natureza, um uivo de volta, uma fome de atraso, uma fome de fome. Olho para o céu em busca de asteroides, de alguma chuva ácida que extermine esta vida escrota e limpa, que nos devolva um pouco de horas calmas, dias, noites, silêncios, inutilidades, fracassos, paz.

Resolvi passar uns tempos nas "reservas de natureza" (*jungle camps*), junto a outros marginais que, famintos de capim, lama, água, se jogam nos barrancos e ficam lambendo o chão, comendo raízes, caçando bichos do mato, nus. Estava eu ali havia poucos dias, furando os barrancos em buscas de caracóis que eu comia vivos, orelhas-de-pau, musgos, águas de córrego, frutas bem azedas (para esquecer a mulher amada), quando as primeiras balas coloridas explodiram em minha cara, entre gargalhadas de crianças e famílias. Um bando de canalhas me perseguia com rifles de balas com tintas berrantes, para ganhar a gincana: "Acertem os vagabundos, caguem-nos com cores e ganhem um piquenique McDonald's!"

Fugi como um macaco vermelho, amarelo e azul, perseguido por famílias gargalhantes e, na corrida, chorando com lágrimas em tecnicolor, sacando o fracasso de minha vida ridícula de intelectual, escolhi a morte interativa nos *despair zones* (jocosamente apelidadas de "caçada aos urubus"). Vou subir na mais alta fronde e me jogar de muito alto, como os outros macacos que escolhem a doce morte. Lá, os atiradores de elite usam balas reais autorizadas pelo Estado em nós, os macacos-alvo, os *pins* de um boliche sangrento. Eles vão me balear, pensando que satisfazem seus desejos assassinos. Mal sabem o bem que me fazem. Como disse, há muitos anos, o herói de Camus: "Espero que me saúdem com gritos de ódio..."

Estamos todos no inferno

"Você é do PCC?"

"Mais que isso, eu sou um sinal de novos tempos. Eu era pobre e invisível... Vocês nunca me olharam durante décadas... E antigamente era mole resolver o problema da miséria... O diagnóstico era óbvio: migração rural, desnível de renda, poucas favelas, ralas periferias... A solução é que nunca vinha... Que fizeram? Nada. O governo federal alguma vez alocou uma verba para nós? Nós só aparecíamos nos desabamentos no morro ou nas músicas românticas sobre a 'beleza dos morros ao amanhecer', essas coisas... Agora, estamos ricos com a multinacional do pó. E vocês estão morrendo de medo... Nós somos o início tardio de vossa consciência social... Viu? Sou culto... Leio Dante na prisão..."

"Mas... A solução seria..."

"Solução? Não há mais solução, cara... A própria ideia de 'solução' já é um erro. Já olhou o tamanho das 560 favelas do Rio? Já andou de helicóptero por cima da periferia de São Paulo? Solução como? Só viria com muitos bilhões de dólares gastos organizadamente, com um governante de alto nível, uma imensa vontade política, crescimento econômico, revolução na educação, urbanização geral; e tudo teria de ser sob a batuta quase que de uma 'tirania esclarecida', que pulasse por cima da paralisia burocrática secular, que passasse por cima do Legislativo cúmplice (ou você acha que os 287 sanguessugas vão agir? Se bobear, vão roubar até o PCC...) e do Judiciário que impede punições. Teria de haver uma reforma radical do processo penal do país, teria de haver comunicação e inteligência entre polícias municipais, estaduais e federais (nós fazemos até *conference calls* entre presídios...). E tudo isso custaria bilhões de dólares e implicaria uma mudança psicossocial profunda na estrutura política do país. Ou seja: é impossível. Não há solução."

"Você não tem medo de morrer?"

"Vocês é que têm medo de morrer, eu não. Aliás, aqui na cadeia vocês não podem entrar e me matar... Mas eu posso mandar matar vocês lá fora... Nós somos homens-bomba. Na favela tem 100 mil homens-bomba... Estamos no centro do Insolúvel, mesmo... Vocês no bem e eu no mal e, no meio, a fronteira da morte, a única fronteira.

"Já somos uma outra espécie, já somos outros bichos, diferentes de vocês. A morte para vocês é um drama cristão numa cama, no ataque do coração... A morte para nós é o 'presunto' diário, desovado numa vala... Vocês intelectuais não falavam em 'luta de classes', em 'seja marginal seja herói'? Pois é: chegamos, somos nós! Ha ha... Vocês nunca esperavam esses guerreiros do pó, né?

"Eu sou inteligente. Eu leio, li 3 mil livros, mas meus soldados todos são estranhas anomalias do desenvolvimento torto deste país. Não há mais proletários, ou infelizes ou explorados. Há uma terceira coisa crescendo aí fora, cultivada na lama, se educando no absoluto analfabetismo, se diplomando nas cadeias, como um monstro 'Alien' escondido nas brechas da cidade. Já surgiu uma nova linguagem. Vocês não ouvem as gravações feitas 'com autorização da Justiça'? Pois é. É outra língua. Estamos diante de uma espécie de pós-miséria. Isso. A pós-miséria gera uma nova cultura assassina, ajudada pela tecnologia, por satélites, celulares, internet, armas modernas. É a merda com chips, com megabytes. Meus comandados são uma mutação da espécie social, são fungos de um grande erro sujo."

"O que mudou nas periferias?"

"Grana. A gente hoje tem. Você acha que quem tem 40 milhões de dólares como o Beira Mar não manda? Com 40 milhões a prisão é um hotel, um escritório... Qual a polícia que vai queimar essa mina de ouro, tá ligado?

"Nós somos uma empresa moderna, rica. Se funcionário vacila, é despedido e jogado no 'micro-ondas'... ha ha... Vocês são o Estado quebrado, dominado por incompetentes.

"Nós temos métodos ágeis de gestão. Vocês são lentos e burocráticos. Nós lutamos em terreno próprio. Vocês em terra estranha. Nós não tememos a morte. Vocês morrem de medo. Nós somos bem armados. Vocês vão de 'três oitão'. Nós estamos no ataque. Vocês na defesa. Vocês têm mania de humanismo. Nós somos cruéis, sem piedade.

"Vocês nos transformam em *superstars* do crime. Nós fazemos vocês de palhaços. Nós somos ajudados pela população das favelas, por medo ou por amor. Vocês são odiados.

"Vocês são regionais, provincianos. Nossas armas e produtos vêm de fora; somos globais. Nós não nos esquecemos de vocês; são nossos fregueses. Vocês nos esquecem assim que passa o surto de violência."

"Mas o que devemos fazer?"

"Vou dar um toque, mesmo contra mim. Peguem os barões do pó! Tem deputado, senador, tem generais, tem até ex-presidentes do Paraguai nas paradas de cocaína e armas. Mas quem vai fazer isso? O Exército? Com que grana? Não tem dinheiro nem para o rancho dos recrutas... O país está quebrado, sustentando um Estado morto a juros de 20% ao ano e o Lula ainda aumenta os gastos públicos, empregando 90 mil picaretas. O Exército vai lutar contra o PCC e o CV? Estou lendo o Klausewitz, *Sobre a guerra*. Não há perspectiva de êxito... Nós somos formigas devoradoras, escondidas nas brechas... A gente já tem até foguete antitanque... Se bobear, vão rolar uns 'Stingers' aí... Pra acabar com a gente, só jogando bomba atômica nas favelas... Aliás, a gente acaba arranjando também 'umazinha', daquelas bombas sujas mesmo... Já pensou? Ipanema radioativa?"

"Mas... Não haveria solução?"

"Vocês só podem chegar a algum sucesso se desistirem de defender a 'normalidade'. Não há mais normalidade alguma.

"Vocês precisam fazer uma autocrítica da própria incompetência. Mas vou ser franco... Na boa... Na moral... Estamos todos no centro do 'Insolúvel'. Só que nós vivemos dele, e vocês... Não têm saída. Só a merda. E nós já trabalhamos dentro dela.

"Olha aqui, mano, não há solução. Sabem por quê? Porque vocês não entendem nem a extensão do problema.

"Como escreveu o divino Dante: *'Lasciate ogna speranza voi che entrate!'* Percam todas as esperanças. Estamos todos no inferno."

Os canibais na sala de jantar

Jeffrey Dahmer, o canibal de Milwaukee, contemplava a decoração de seu apartamento com satisfação. Tudo bem-arrumado. No freezer novo estavam quatro cabeças em bom estado olhando-o com tranquilidade, com certo carinho até. Na geladeira, no gavetão de legumes, havia mais uma cabeça que ele havia fervido. No congelador da Frigidaire estavam partes de corpo humano bem-arrumadas, junto com os cubinhos de gelo bem distribuídos, dos quais Dahmer pegou dois para o uísque. Num grande barril azul de plástico com gelo jaziam braços, pernas, mãos, parecendo um depósito de escultor. Foram 17 assassinatos em pouco tempo.

Em Londres, em Cranley Gardens, Dennis Nilsen levou 15 rapazes para casa e matou-os com cuidadoso ritual. Estrangulava-os no sono, depois lavava-os, tratava os cadáveres como bebês, velava seu sono eterno e, como era difícil levá-los para fora sem chamar a atenção do porteiro, cortava-os em pedacinhos e transportava-os aos poucos para a rua.

No Brasil não há esse zelo. Matam-se 111 presos na Casa de Detenção, sem culpados, claro, mas vai demorar muito para chegarmos ao crime metafísico das sociedades ricas. Primeiro, temos de nos desenvolver. Nossos crimes são desorganizados como o país. No crime brasileiro o assassino busca alguma coisa que a vítima possui, o dinheiro, a mulher, ou um resgate. No caso do neocanibal americano, a vítima é o móvel do crime. O assassino quer a vítima, quer o corpo da vítima, não o que ela tem. Ele não mata para roubar algo. Mata para ter o cadáver. Nestes crimes, a vítima é desejada. Já a vítima brasileira é um estorvo que tem de morrer. A vítima americana dos canibais é a recompensa. As vítimas brasileiras são a sobra, não têm nenhum valor de troca, são desovadas em matagais, derretidas, afogadas, enterradas. No crime americano, o assassino quer ser reconhecido como sujeito. No crime brasileiro, tenta-se provar que não há sujeitos. A vítima brasileira não presta para nada. As vítimas dos canibais americanos ornamentam seus lares vazios.

Dennis Nilsen diz num artigo canibal-chique em *Vanity Fair* que tanto ele quanto Dahmer eram muito sozinhos e que as vítimas lhes faziam companhia, preenchiam suas vidas. Diz que matavam sem nenhum ódio, matavam por um estranho amor canibal e um erotismo necrófilo. Na árida sociedade rica os canibais têm fome do outro, fome do semelhante, fome de irmão. O que nos espanta é a novidade da presença dos mortos na sala de jantar, na geladeira: a domesticação do horror. Nada de vampiros, cavernas góticas, noites de tempestades. O morto está no *living*, como uma visita. Como disse Nilsen: "Só matei insignificantes como eu. Sempre achei que nunca iriam reclamar meu corpo se eu morresse. Somos tão insignificantes como os pedaços de cadáveres que enfeitaram minha casa." Os criminosos transformaram suas vítimas em artigos de um supermercado americano com prateleiras organizadas, rotuladas, registradas. Tudo pronto para a chegada da polícia. Os canibais americanos querem a chegada da Lei com ânsias, querem o conforto da polícia. Há pouco um foi enforcado dizendo: "Matem-me sim, matem-me senão eu continuo meus crimes!" Eles têm orgulho da América. Nilsen acumulou corpos na esperança de ser apanhado e libertado daquela horrenda solidão com seus amantes silenciosos. Ele descreve a chegada da polícia como "o dia em que veio o socorro" (*the day help arrived*). A polícia o libertou de uma solidão alarmada e lhe dá a quente companhia da prisão. A polícia lhes dá a chance de falar sobre o país, por sua exposição de arte, seu vernissage de corpos que querem aperfeiçoar a vida americana. As casas de Dahmer e Nilsen são instalações, mausoléus de denúncias para que um dia alguém chegue e descubra aquele sinistro panteão de heróis caídos, como um antimonumento da vida americana.

O que mais impressiona o público é que a crueldade está banida da coisa. Não há no relato desses assassinos o prazer com o pânico da vítima. Interessa a eles o silêncio de depois. Odeiam os urros, os medos. Nilsen diz que não foi cruel ao esquartejar os mortos: "Houve tragédia na hora que a vida se foi. Depois não; são como coisas." Não há neles o exibicionismo dos monstros malvados. O monstro malvado que ostenta a crueldade extrema faz o elogio do Bem. Tanto é seu demonismo que ele homenageia a Bondade. Já o neocrime é uma terceira coisa. E o crime que não é o contrário do bem; o mal que não é uma transgressão. O mal banal. Chama-se de "mal" por falta de outro nome.

Os canibais americanos falam uma verdade profunda sobre a sociedade que todos teimamos em ignorar com nosso humanismo requentado: o fim da tragédia já aconteceu.

A sobrevivência moderna precisa do crime. A sobrevivência moderna precisa da aridez, da secura prática, do coração frio.

A verdade é que os crimes frios são o prenúncio dos futuros extermínios de massas num planeta superpovoado.

Antonioni desapareceu do cinema

Nada mais parecido com um filme de Antonioni do que sair com Antonioni. Eu saí. Em 1994. Foi uma tarde mágica, que começou com meus pés no hall de mármore rosa do luxuoso "L'Hotel" — gobelins entre marfim e metais dourados. Cheguei até a mesa onde estava Antonioni. Sua mulher, Enrica, bela e tenaz, lhe segredou meu nome. Antonioni não conseguia falar, por causa do derrame que sofrera em 85, mas me sorriu com um pequeno esgar na boca muda.

Quando fui olhado por ele, senti um calafrio: eu entrava no campo de visão daqueles olhos que, desde 1960, desconstruíram o cinema careta. Finalmente eu virava um objeto do seu mundo, como as árvores que se moviam no vento de *Blow Up* ou as pedras na ilha de *A aventura*.

Na mesa, os restos de um almoço (eu chegara atrasado e estava com fome). Fiquei calado. "Almoçou?" "Claro...", respondi. Fiquei com uma fome orgulhosa, pois não ousaria me empapuçar ali na frente do mestre. Comi disfarçadamente uns restinhos dos biscoitos que acompanhavam o café.

Aí, a realidade passou a se mover no ritmo de um filme de Antonioni. Sob seu olhar, as coisas começaram a perder o ritmo falso, incessante de Hollywood e as pausas típicas de seus filmes foram se infiltrando.

De repente, eu estava vendo o silêncio dos circunstantes diante do drama do mestre, via o desamparo das garçonetes, a pálida solidão do barman, os restos de biscoito jogados na mesa, minha mão sorrateira pegando mais um, xícaras vazias. Aumentava o vácuo na mesa, que eu tentava preencher com frases animadas, para encobrir a dor de sua trágica doença.

E ele me olhava. Eu não podia mentir: tinha de situar meus sentimentos. O que sentia eu por ele? Pena? Sim; sentia pena, mas havia mais. Ao folhearem a minha frente um colorido livro de suas glórias, com fotos das mulheres lindas que ele teve, vi que sentia também inveja dele.

Isso. Rachado ao meio, eu sentia pena e inveja. Seus olhos esperavam uma definição minha, para me desprezar ou aceitar. Tentei convocar sentimentos mais sutis como "respeito", "solidariedade" etc. Mas não; essa subliteratura não colava. Aí, vi-me por instantes através dos olhos de Antonioni. De certo, ele me invejava também, por eu não estar paralítico. Mas, de dentro dele, eu me via como um desconhecido cineasta da América do Sul que pouco fez para mudar a linguagem do cinema. Teria Antonioni vindo ao Brasil na força da juventude? Falaria comigo, então? Vi, então, que eu sentia uma espécie de raiva também. Talvez ficasse tão mudo quanto agora, e minha humilhação teria sido pior. Ao menos, agora, eu podia atribuir seu silêncio ao derrame. E assim, hesitando entre pena, inveja e raiva, fiz um "mix" gelado dessas emoções e ostentei uma frivolidade crua, uma impiedade desatenta, como se tudo estivesse normal ali e o ritmo da vida fosse "americano". Mas a máquina continuava no ritmo de Antonioni.

Ele era implacável, ele, uma espécie de Albert Camus do cinema. Antonioni nos libertou de um mecanismo de defesa contra a verdade e a finitude, com o ritmo que os americanos inventaram... Nossas vidas são descontínuas, velozes, lentas, sem final feliz. A morte ficou nua em Antonioni.

De repente, Enrica me diz que Antonioni queria ver o *Lobo*, filme com o Jack Nicholson, ali no Cine Gazeta, ao lado. Eu disse que já tinha visto. Antonioni me olhou, como perguntando: "E que tal o filme?" Eu tremo e digo: "Tem uma cena linda, com lobos negros num campo de neve." Antonioni fez uma careta de aprovação e pareceu dizer: "Lobos sobre a neve? Então, vamos!"

Eu tremia de orgulho, enquanto andava com ele pela avenida Paulista, com Enrica e Andreas Boni, seu secretário. Entramos no Gazeta e rolou o filmão. Na saída, Antonioni, me deu um olhar combalido: "O cinema acabou mesmo..." parecia dizer. Repliquei com um sorriso, feliz da cumplicidade que ele me concedeu.

Aí, começou o meu delírio. Ao sair do Gazeta (que é no meio de um imenso prédio), Antonioni desceu de elevador com o secretário e eu e Enrica fomos de escada. Esperamos Antonioni chegar, mas o elevador veio vazio. "A senhora não trouxe um senhor assim, assim?", pergunto à velhinha cabineira. "Não vi não." "Vai olhar embaixo, minha tia..." Subo no outro elevador. Ninguém nos andares de cima. Fico entre o pânico e o riso. "Cacete, Antonioni sumiu no prediâo da Gazeta, como Lea Massari sumiu em *A aventura*, como o homem morto sumiu em *Blow Up*?"

Passam-se os minutos e nada do Antonioni. Enrica, nervosa, foi correndo até o hotel. Nada. Eu já imaginava manchetes: "Antonioni desaparece no Brasil", ou, pior, "Antonioni assaltado e morto no cinema". Volta o elevador: "A senhora olhou na garagem?" "Vim de lá, não tem velhinho nenhum!" "Minha senhora, a senhora procure por todos os andares", berro nervoso. "Não procuro nada... O senhor fale com o zelador!", responde a velhinha antipática. "Pronto, Antonioni sumiu, cacete, foi sequestrado por algum cineclubista e, claro, vão dizer que a culpa foi minha!"

Já me vejo interrogado pela polícia italiana, Massimo Girotti no papel de delegado. A velhinha ligou um radinho de pilha. Um rap. Comecei a suar frio. Antonioni não vinha. O tempo passando, morto. Subo de novo as escadas, sem ar. Nada. Até que, súbito, um grito. O rosto pálido de Enrica se acende. Antonioni surge lá longe, já na esquina, num corte direto, sem continuidade, num "plano geral" vazio, como no *Eclipse*. Não perguntei nada. Seu mistério foi respeitado.

E, aí, chegou a hora da despedida. Ao apertar-lhe a mão, penso: "Que estou sentindo? Beijo ele?" Não; seria muito derramado. "Serei discreto." Continuava sem saber o que sentia por ele.

Mas, aí, Antonioni me olhou dentro do olho, sorriu calidamente e eu vi que ele me aceitava. Abracei com delicadeza seu corpo magro. Com um travo na garganta, pensei: "Se eu chegar à idade dele, daqui a trinta anos, me lembrarei deste dia e terei sido mais feliz porque vi seus filmes e o conheci."

E, aí, finalmente, localizei meu sentimento: era gratidão.

João Cabral mostrou o que a poesia poderia ser

A morte de João Cabral não me espantou tanto quanto a de Tom Jobim. Tom caiu como a derrubada de uma floresta, me deu a sensação de que uma coisa vegetal, florescente, tinha secado, como um crime ecológico. João Cabral ali, morto diante de mim, me evocava o chão, a coisa mineral que ele tinha sido em vida e que, agora, recuperava sua imobilidade natural. E não estou fazendo apenas uma metaforazinha que explique sua poesia; é que o João foi um dos poucos artistas que passaram além da arte e entraram numa terra de ninguém que poucos poetas do mundo visitaram, uma *waste land*, um latifúndio improdutivo pré-linguagem, um lugar de onde se descobre uma "vida mais intensa, com nitidez de agulha", e onde "toda frouxa matéria ganha nervos e arestas". Uma das frases mais profundas que conheço sobre a serventia do artista é de Cézanne: "Eu sou a consciência da paisagem que se pensa em mim." Essa ligação com a natureza perdida, esse link com o passado animal, esse apagamento entre sujeito e objeto, unindo os dois num só bloco, essa humílima renúncia ao sonho individual de uma iluminação inspirada, essa recusa a ser "sujeito autônomo", esse desejo de ser coisa do mundo, geológico, essa recusa humilde a uma luz na alma, a ter um "centro", um foco, um ego, tudo isso me lembra João Cabral, que poderia dizer também que ele foi "a consciência da linguagem se falando nele".

Por isso me decepcionei com as matérias na imprensa sobre ele, todas mencionando seu desejo de "não perfumar a flor, nem poetizar o poema", todas falando do seu estilo seco, como se ele fosse apenas um faxineiro dos parnasianos e dos palavrosos. João foi muito mais. Ninguém disse que ele era um dos maiores poetas do mundo. Ninguém falou que, com ele, a língua portuguesa, esta esquecida flor, foi mais fundo em direção ao misterioso "Real" que quase nenhuma outra, terra já avistada por John Donne, mais tarde por Francis Ponge, Marianne Moore, gente que não brincava de beleza, mas de epistemologia. João Cabral, para mim, fez uma teoria da percepção.

A primeira coisa que João Cabral me disse, quando o entrevistei em 1992, foi: "Eu sinto uma angústia danada; é terrível, por que a gente não sabe de onde vem essa dor." Senti que ali estava a pista de sua poesia, o preço que ele pagava por sua insana procura de "uma realidade prima e tão violenta, que ao tentar apreendê-la, toda imagem rebenta". Antes de morrer, ele disse a alguém: "Escrevo não para me expressar, mas para preencher um vazio." Quem tem coragem de entrar nesse vazio? João teve. Que poema foi mais fundo que *Uma faca só lâmina*, descrevendo em minúcias figurativas formas inexistentes, balas, facas e relógios invisíveis enterrados em nossas vidas? João teve a obsessão de atingir algo além do tempo e do espaço, uma espécie de sonho kantiano, a vontade louca de ir além do "fenômeno". Às vezes, João parece ter conseguido.

João passou a vida com dor de cabeça: não era para menos. Que cabeça aguenta esse esforço permanente de ter dois microscópios nos olhos, de flagrar o decorrer do tempo no alpendre, no canavial, o tempo corroendo as coisas como um vento invisível? (Van Gogh pintou-o e se matou.) Como Proust, Cabral também queria "geometrizar" os sentimentos, esquadrinhando-os como objetivos concretos, de todos os lados, sem aspiração a espiritualidades e transcendências, sempre comprando matéria com matéria, mostrando que a mulher é igual à fruta, que a praia é o lençol, a bailarina é a "égua e o cavaleiro", que o rio tem dentes podres, o cão não tem plumas, a alma do miserável é feita de pano sujo de aniagem e que "nós somos da mesma matéria de que são feitos os sonhos", como disse outro gênio.

Meu primeiro contato com a poesia de João fez-me ver que tudo o que eu tinha lido de poesia era aguado, errando o alvo com adjetivos molengas. João me virilizou, acabou com a sensação de que arte era "coisa de viado", como diziam meus amigos e meu pai, engenheiro, filho de poeta árabe. Tive um grande alívio quando João Cabral me disse, na entrevista: "O mal que Fernando Pessoa fez à literatura é imenso. Aquela coisa derramada, caudalosa, criou uma multidão de poetastros que acreditam na inspiração metafísica. Até Drummond ficou assim no fim da vida." Eu, que segredava covardemente pelos cantos que não gostava de Pessoa, finalmente respirei. E João Cabral continuou: "Saio do poema suando, com picareta. Minha obra é motivo de angústia. O sujeito tem de viver no extremo de si mesmo. Eu vejo isso na tourada. O bom toureiro é o que dá a impressão ao público de que vai morrer." João nem parece um artista; parece cientista, matemático, o que fortalece seu fundo sopro lírico, domado, reprimido, mas circulando como sangue dentro da pedra.

João Cabral fez a poesia mais profunda sobre o Brasil, a mais "política" também, sem gritos conteudistas, sem apelos contra a injustiça, apenas com uma discretíssima compaixão. Sua legitimação épica e crítica vem das palavras, da forma, como em Maiakovski.

João rimava com o país porque, como ele, o Brasil também padece desta angústia, deste vazio que permanece inalterado, cercado de palavras falsas por todos os lados. O Brasil nunca foi visto por João como uma barroca oferta de riquezas, nem ouros, nem de luxos, nem de tragédias. O Brasil de João é mais profundo — ele não nos mostra a pobreza; ele mostra a riqueza que nos falta. Em sua poesia pelo avesso, João nos mostra tudo o que "não" tínhamos. João mostrou-nos o que poderia ser nossa língua e o que o país está perdendo. João mudou a minha vida e, creio, de muitos artistas brasileiros. Caetano, Gil, João Gilberto, Gullar, Waly, Arnaldo Antunes, Nuno Ramos, tantos, não seriam possíveis sem ele; nem eu, pobre de mim, existiria sem tê-lo lido. Por isso, este necrológio tardio, para agradecer-lhe.

Eu tomei a canja das 13 galinhas

Um amigo disse que eu preciso ser mais "perfunctório". Eu não sabia o que era. É uma dessas palavras que não dão vontade de conhecer. Mas olhei no dicionário, depois de dizer muito sério: "Tem razão, preciso caprichar..." "Perfunctório" quer dizer "ligeiro, superficial". Ou seja, que eu preciso deixar de ser besta e menos metido a profundo. Seja leve, seja "perfunctório", dissera meu amigo. É feito "conspícuo". Já olhei várias vezes e sempre esqueço. "Conspícuo" me parece coisa erótica, perversa, coisa de glutão. É o contrário: "grave", "ilustre". Pois tentarei não ser conspícuo e sim perfunctório.

Muito bem, eis que estou conversando com Mme. G., conspícua empresária, falando sobre a economia brasileira, e ela, desanimada com a recessão, diz que vai fechar tudo e aplicar em CDB. Isso nos fez tristes e nos deu uma fome danada. "Vamos tomar uma sopinha ali no Antiquarius, na alameda Lorena", digo numa doce melancolia yuppie, suéter velha, sopinha rápida, temperada com *aisance* culta. Entramos no Antiquarius e aí começou uma estranha microfísica dos hábitos urbanos da elite. E meu artigo perfunctório.

O Antiquarius é uma casa portuguesa, que mescla antiguidades com bacalhoadas. A casa tem tapetes macios, sussurros de maîtres delicados que sabem teu nome. Meu ego, com tão fundo subúrbio na alma, teve um frisson de orgulho. "Cá estou eu, filho do Engenho Novo, dentro da burguesia paulista, deslizando entre alfaias que nos fazem sentir parte de uma nobreza colonial." Mme. G. pede ao maître um bacalhau grelhado com legumes e eu, supremo requinte, declaro-me indisposto e peço uma canjinha bem simples. Isso me deu o prazer de desdenhar todo o barroco manuelino dos pratos portugueses, em prol de uma frugalidade chic.

Vêm os pratos, em meio à nossa conversa sobre a crise nacional. Provo minha canja de galinha e me lembro do fumegante caldo que alimentou Jacinto, em Tormes: "E tinha fígado e tinha moela, e seu perfume enternecia." Essa não tinha miúdos. Mme. G. comeu a fina tranche de bacalhau. Tomamos água mineral e, de sobremesa, um creme de papaia. Veio a continha: 112 reais, gorjeta não incluída, ou seja, total de 123 reais. Quebrou-se nosso mundo de sossego. O garçom me olhava com um misto de simpatia e vingança, diante de minha indignação. "A culpa não é sua, claro, companheiro!", gemi, como se um súbito petista aflorasse em mim ali, um petista requintado, um revolucionário gastronômico. "Chama o maître!", digo com revolta e humilhação.

"Perfeitamente, doutor", murmurou o maître lisboeta, gentilíssimo. "Tem certeza de que esta conta está certa?" "Está sim, doutor."

Verifico que a canja de galinha custou 25 reais e a febra de bacalhau custara 40 reais, a papaia, 14 reais. Fui perfeito e fulminante: "Traga-me a nota fiscal discriminada, que quero publicar no jornal!"

Uma pequena desestabilização se deu no universo português. Eu me revoltara! Senti-me um colono em armas, questionando impostos no dia da "derrama". Veio a nota fiscal. A voz do garçom se aflautou. "Perdoe-nos, mas nos esquecemos do desconto para jornalistas, pois..." A nota mostrava 86 reais de total. Triunfei então e recusei o tal desconto, humilhado e cheio de grandeza. Mandei vir outra nota com o total antigo. Triste preço para um jornalista: descubro que só valho quarenta reais. Chega a nota fatal. E lá consta: "frango g. 25 reais".

"Eu não comi isto. Tomei canja de galinha. Que é frango g.?"

"É que nós não temos canja de galinha no menu", me sorri o maître tentando uma fina navalha entre a gentileza e a ironia. Doeu-me essa negação de séculos de um prato português tradicional e o absurdo da resposta.

"Como não têm? Eu tomei canja!" "Sim, tomou, mas não servimos..." "Como não serviram, se eu tomei?", digo me sentindo meio irreal.

"Nós não servimos canja de galinha, por isso consta 'frango g.'. Não há canja no computador..."

"Mas 'frango g.' pode ser interpretado como '*grillé farci avec des truffes blanches*', o que justificaria o preço louco", disse eu. "Sim, doutor, mas canja nós não temos." "Então, eu não tomei?!" "O senhor tomou, mas nós não servimos." Rondava-nos a aragem de uma anedota.

"Tudo bem; se não servem e eu não tomei, logo, não pago..." "Como o senhor quiser...", sorriu-me gélido o maître, numa superioridade lisboeta. "Mas, eu faço questão de pagar a canja que tomei — não tomei?" "Sim", sorriu-me Mme. G. "E exijo que conste 'canja'!"

O maître, então, aceitou meu reles realismo. Trouxe a nota constando: "Canja de galinha 25 reais". Mme. G. segredou-me: "Um frango custa 1,60 real o quilo!" Entrei num assomo político, dirigindo-me ao garçom baixinho como um Vicentinho num comício do ABC: "Com os teus dez por cento, a canja custa 27 reais! Ou seja, companheiro, foram necessários 13 frangos para fazer essa canja. Uma canja pelo preço de 13 galinhas brasileiras cacarejando pelo mundo, suas moelas e seus corações batendo! Pode uma coisa dessas?" O garçonzinho baixava os olhos, temendo ser incriminado num conluio político. O maître gozava o drama com a frieza dos vencedores e uma ponta de desprezo por mim. "E esse bacalhau?", continuei. "Um quilo custa 18 reais", sussurrou Mme. G. "Pois aqui não tinha nem 250 gramas!", gritei, chafurdando no detalhismo de feirante. Sentia-me um fiscal ridículo da Receita. Pensei nos bilhões depositados nas Bahamas pelos acionistas do Econômico. Vi Angelo Calmon de Sá rindo de minha medíocre batalha. Mas me aferrei naquela mixaria. Pensei em minha avó, que dizia: "Para quem é, bacalhau basta..." Fiquei com medo de que o maître dissesse isso. Ainda discursei ao garçom, que evitou meu olhar. "Não é pelo dinheiro (ostentei largueza de meios), mas pelo Brasil!" Alguns burgueses próximos me olhavam com tédio bovino, uns americanos discutiam sobre minérios, e eu ali, aferrado em 13 galinhas mortas nadando no próprio caldo. Baixou-me a certeza da insolubilidade do Brasil de hoje. Sentia-me *coincé* entre forças invisíveis: o desinteresse dos burgueses gordos cuja conversa eu atrapalhava, americanos fechando negócios, o garçom fugindo de minha aliança "operários-intelectuais", e até um pouco de vergonha diante de Mme. G., pelo que podia parecer apenas um reles pão-durismo *enveloppé* de ideologias. Tudo parecia uma maquete da vida nacional. Eu me sentia um FHC tentando conciliar o inconciliável, Quixote em meio às forças desatentas.

Paguei a conta e fui saindo, de cabeça erguida e vagamente humilhado, muito olhado pelos fregueses boquiabertos, sentindo-me um comunista tardio. O maître ainda atirou, gentilíssimo: "Fale mal, mas fale de nós..." E, num clarão, ficou visível que nada mudaria. Aquele micromundo feito de quindins e toucinhos-do-céu era uma prova do grande pudim inercial do nosso destino. Eu estava querendo uma lógica de sobriedade para um mundo que deseja o luxo e o supérfluo. Ninguém ali queria canja de seis reais. Não teria graça. Assim, até os pobres poderiam ir comer no Antiquarius. Começariam pela canja e, depois, sabe-se lá o que iam pedir?

Não há no Brasil desejo de democratizar o consumo. Preços baixos prejudicam o luxo do privilégio. Nossas elites querem o atraso para usufruir a diferença. E foi isto aí: quis ser perfunctório e acabei fazendo ilações conspícuas. Ainda na porta, lembrei que tinha pago os 112 reais e que não fora incluída a gorjeta do garçom. Ainda vi o rosto do baixinho. Quem acabou pagando o prejuízo foi, claro, o povo.

Um crime que tenho que confessar

O poeta Manoel de Barros é um surrealista-minimalista — pantaneiro, poeta das insignificâncias, dos detritos. Descobre dramas na vida dos caramujos, nos ovos de formiga e faz os capôs de lodo denunciarem nossa fragilidade. Li um poema dele, em que a morte de uma lacraia furada de espinho tem a pungência da morte de Isolda:

> "Chega de escombros, centopeia antúria!
> Estrepe enterrada no corpo, a lacraia
> se engrola rabeja rebola
> suja-se na areia
> floresce como louca.
> Gerânios recolhem seus anelos.
> Está longe o horizonte para ela!"

Pois esse poema extraordinário lembrou-me de um crime que eu tenho de confessar. Eu o cometi há um ano. É o seguinte: eu matei uma lesma no muro de meu jardim. Isso não é nada, dirá você. Pois, se não é nada, saiba que essa ocorrência ainda não me saiu da cabeça. Volta e meia eu penso na lesma, minha vítima.

Vamos aos fatos. As chuvas trouxeram muita umidade ao meu quintal, feito de bananeiras e buxos, onde uma estátua de Ceres se recobre aos poucos de limo. Essas súbitas águas devem ter irrigado a "ínfima sociedade" dos bichos ocultos nas gretas do jardim, pois deram para aparecer grandes lesmas que se puseram a traçar riscos de madrepérola no muro do quintal.

Sempre tive horror das lesmas, com sua lentidão inútil, seu ritmo obstinado que nos lembra outros bichos que nos comerão, um dia.

Essa lesma não era um bicho nojento, mas grande e negra com estrias amarelas nas costas e dois chifrinhos orgulhosos, como uma lesma de desenho animado. Mas me provocou um horror inesperado. Será que meu asco saía da infância profunda, vinha de um nojo sexual qualquer? Eu me lembro de um analista que disse que só temos nojo do que queremos comer. Meu horror da lesma viria de uma antiguíssima fome de um bilhão de anos atrás, quando moluscos e vermes nos alimentavam?

O que sei é que a lesma me irritava muito, uma intrusa em meu muro. Para onde ela ia, afinal? Por que não me incomodavam as formigas, os sabiás gordos e egoístas a quem eu até atirava arroz e bananas? A presença daquele lento "vaginulídeo" era insuportável. Ela não podia ficar ali, quebrando meu mundo de harmonia, meu quintal planejado: arbustos, passarinho, bananeiras, estátua.

A lesma me jogava na Pré-História, quando os bichos escrotos nasceram; ela questionava que o jardim fosse minha propriedade privada, mostrava como era vago meu direito a esta vida correta, esta arrogância de humano, esta gravata, enquanto ela, toda nua, estriada de amarelo, subia no meu muro.

Eu conheço bem a agitação das lagartixas nos banheiros, nas frinchas da casa. Até vejo-as com simpatia. A lagartixa te respeita, percebe elétrica tua presença, foge, te teme. A lesma, não. Ela te ignora, desatenta, em outro mundo denso e remoto. Ela te exclui. A lesma é *snob*. A lesma era um perigo, a prova de minha fragilidade; o ritmo da lesma traía minha ansiedade, meu nascimento do nada.

De onde surgira aquele monstro sem infância, sem pai nem mãe? De onde, aquela autossuficiência? De onde, aquela certeza de rumo? Que bússola ela usava? De onde, aquela convivência tão íntima com meu muro, como se os dois fossem feitos um para o outro? Como ela ousava me ignorar tanto? Por que meus sabiás não a atacavam a bicadas? Por que minhas formigas não a carregavam em funeral para o buraco? Por que ninguém fazia nada?

(Como se vê, minha loucura vai adiantada. Que vou fazer? Tenho de contar meu crime.)

Pois bem: eu estava angustiado com aquele ser sem história, ali diante de mim. Devo dizer que eu tinha sofrido naqueles dias pequenas humilhações, o que seria uma atenuante para meu gesto. Mas, em nome da verdade, tenho de confessar sem vacilos que o que eu queria mesmo era matar a lesma, sem motivo, só para vê-la morrer ali na minha frente, para curtir o prazer desse ato violento.

Deu-me um intenso desejo de exterminar aquela forma de vida, tirá-la de minha parede como se eu fosse o deus da lesma, o seu destino. Matá-la.

O quintal ficou mais silencioso, enquanto eu me decidia. Os sabiás não cantavam; estariam me observando? Então, com o coração batendo forte, eu fui até a cozinha. Disfarçadamente, querendo ocultar meu gesto da empregada, peguei rapidamente no armário um grande punhado de sal grosso (me disseram uma vez que o sal dissolve as lesmas num ferver venenoso, que o grande inimigo dos rastejantes é o sal).

Em seguida, levando o punhado de sal, voltei ao quintal, excitado como para um encontro de amor. Fui devagar até o muro, onde a lesma fazia seu trajeto paciente. Ela já ia alta, como uma operária, como um atleta, um alpinista sério, concentrado em seu destino. Eu também me concentrava, na tocaia, e tremia de emoção.

E então atirei-lhe o punhado de sal no dorso. Por um instante, ela ficou coberta do pó branco; em seguida, eu vi tudo acontecer. Ela parou por um instante. Depois (eu juro que é verdade, na medida em que alguma verdade posso conhecer, se é que minha verdade serve para interpretar a dela), a lesma virou o corpo para trás, despegando-se do muro na parte superior de sua engrenagem, e se estirou mais ainda, como uma luneta mole, me procurando.

Então, por um breve segundo, ela me achou. Fixou os dois chifrinhos em cima de mim e me "olhou". A lesma me "olhou", sem raiva, sem dor, ela me olhou com imensa surpresa, para saber de onde viera aquela praga de Deus. E por um angström de um segundo, como um raio frio, como um bater de cílios, houve um contato entre mim e minha vítima. Só nós dois e, entre nós, um tremor de um bilhão de anos.

Mas foi só por um instante, quase nada, pois o sal começou a ferver seu corpo e ela se desprendeu do muro, caiu pesada e sumiu entre as plantas rasteiras, morrendo, certamente.

No muro, só ficou a madrepérola do seu rastro: azul-pavão, cintilações rosa, um visgo ocre, marcando sua passagem pela vida. Como escreveu Manoel de Barros, "estava longe o horizonte para ela!". Até hoje, está lá no muro a marca do meu crime. Espero que as chuvas a apaguem, mas já faz muito tempo e nada sumiu. Para mim também está mais longe o horizonte.

Tom Jobim estava entre nós e a natureza

Nunca fui íntimo de Tom. Nem ele era. Em nossos encontros, só pude recolher uns fragmentos que iam caindo do seu mistério e não cheguei a compor nenhuma clareza.

Só tive uma sensação de entendimento quando o vi no centro do Jardim Botânico, a cabeça encostada às flores do caixão. Seu rosto em paz parecia uma pequena serra coberta de flores; havia algo de mineral, de alguém voltando ao chão inicial, e aí percebi confusamente todo um processo detido no ar. E vi que nenhum mistério profundo ele nos revelaria.

Uma vez ele me falou, a propósito de sua infância mais funda, que alguma coisa tinha acontecido lá no "cubo de trevas" do passado. Esta expressão nunca me esqueceu, e vejo que Tom viveu "fora" de alguma coisa, fora da vida normal, que ele ficou ao lado dos atobás caindo no mar e teve de se "ver" vivendo entre os discursos dos homens.

Não me interessa louvar o Tom, nem competir em literatura com a torrente de homenagens. Tom me interessa como uma máquina viva que ficou meio-corpo fora da natureza, intermediário. Entre ela e nós. A mais alta função estética e ecológica, o artista purificando as águas.

Mas este "cubo de treva", onde começou esta genial "anomalia", podia ser sentido sempre no convívio com Tom, nos fragmentos das conversas.

Tom falava por parábolas, no som das palavras, mais do que no sentido delas. Nunca estava onde queríamos.

Ele me anunciou a sua *causa mortis* há uns 15 anos, na beira da praia: "O médico me ameaçou de morte!", me disse ele, tentando fazer um cooper canhestro, dentro de um abrigo Adidas. *"Inadequate perfusion*, o médico falou, do meu coração!"

Ali estava um prenúncio da doença, mas ele se amarrava no som da expressão: *"Iná-dequate"*, repetia ele num inglês perfeito. "Perfusão inadequada", aquela frase científica determinando seu destino lhe fazia rir. Só gostava dos significantes.

"I want the giant crab of Alaska" (eu quero o caranguejo gigante do Alasca), pedia ele ao garçom do restaurante que havia na rua 58 em Nova York, The Seafarer of the Aegean Sea (O Marinheiro do Mar Egeu). Ele só ia ali por causa do nome remoto e homérico da casa. Repetia para mim: *"The seafarer"*... e *"aegean"* soava como um vento agudo e víamos o mar grego ali, azul, falésias. E o grande caranguejo do Alasca o contemplava e ele ao caranguejo e havia mais que um almoço ali. Nada era óbvio, corriqueiro. Os *jumbo shrimps* ("veja os camarões gigantes!") também o olhavam como a um colega, as lagostas ouviam, nadando no aquário. Só gostava dessas bobagens, que lhe ajudavam a evitar conversas óbvias e cheias de "sentido".

De repente, ele vinha com uma frase: *"The hounds of Spring are on Winter's tail"* ("Os cães da primavera estão na cola do inverno"), acho que de Emily Dickinson, que ele ouviu de alguém. Pronto; aquela frase durava meses, e cada vez que ele a mastigava, arfante, ela ficava mais luminosa. De dentro do "cubo de treva", ele só via esses detritos.

"April is the cruellest of months, mixing memory with desire...", citou Elliot durante meses, que ele nunca teve o saco de ler com método e vagar.

Pegava o essencial, o melhor verso, e revirava-o até a exaustão ali, entre picanhas e chopes, e a metáfora ia definhando e virando um slogan de churrascaria e, aos poucos, a churrascaria em volta ficava profunda. Não seria esta a função da poesia: aprofundar churrascarias?

Um dia, veio com o papo de que "Hollywood" era traduzível por "Azevedo". "Por quê?", me perguntou. Por uma intuição fulminante, adivinhei (deve ter sido a faísca de minha ferradura): *"Hully"* é "azevinho" (planta rasteira) e "*Wood*" (bosque) funciona como o sufixo "edo" em português para coletivos, que dá "vinhedo", "arvoredo" etc. Ou seja: Hollywood é "bosque de azevinhos" ou "Azevedo" (Caetano cita numa música). Por uns momentos, Tom me olhou com respeito e, a partir daí, começou um jogo, um metadiálogo que durou até semana passada.

Fazíamos um concurso eterno de palavras em inglês. Nos comunicávamos pelas bordas do "cubo de treva". Eu ganhava dele em palavras arcaicas ou mais literárias, ele me dava banhos, com legumes, peixes e passarinhos. Eu pescava minhas lembranças shakespearianas e lançava na mesa para pasmo dos garçons: "Que é '*woe*'?" Ele não sabia e eu triunfava: "É 'aflição', 'lamento'... ahhh, ganhei!"

Aí ele replicava: "Tudo bem, e como é 'chuchu'?" E eu não sabia. "Como é 'berinjela'?" Eu não sabia. "'*Egg-plant*', é a planta do ovo, o ovo roxo, ovo vegetal!", ria o Tom, com seu rosnado doce, tomando chope. E assim, entre legumes, robalos e pica-paus, íamos tecendo uma amizade oblíqua, sem nunca ter havido confissões.

Ele não aguentava caretice e cotidianos. Um dia, em Nova York, estávamos conversando com uns brasileiros que o admiravam, quando ele foi tomado de grande palidez e angústia, gaguejou uma desculpa e se enfiou no Central Park como que fugindo para a floresta. Cubo de treva.

De modo que, ontem, em seu velório ("*wake*", Tom, sabia? "*I am in your wake*", pensei), vendo seu rosto tão calmo entre as flores, entendi que todo o seu esforço apontava para este momento de paz no fim do caminho. E entendi que, quando eu ganhava dele com adjetivos complicados ("*wretched*", "*ruthless*"), na realidade, ele estava me vencendo com legumes e substantivos naturais.

Toda a viagem longa e solitária desde o "cubo de trevas" terminava ali e seu perfil no caixão parecia uma serra entre flores (mais tarde, no avião, vi por instantes seu perfil se encaixar lá embaixo nos morros do Rio). Tom voltava à natureza, de onde nos defendia contra os adjetivos.

Parecia ouvi-lo: "Berinjela, como é berinjela?"

"É fácil, Tom...", respondi: "Berinjela somos nós."

Eu sou um leãozinho que ainda não morde

Tenho quatro anos de idade e estou na altura dos escapamentos dos carros. Sou um menino-mendigo, um menino "excluído", como dizem agora. O termo "excluído" é mais higiênico, provoca menos culpa. Sou, portanto, um menino excluído. Ando até meio excluído dos noticiários. Bons tempos, os dos massacres, quando eu virei notícia, fonte de horror. Agora, a mídia se acostumou.

Ironicamente, meu ponto de vista do mundo é privilegiado. Tenho uma imensa liberdade: tudo é meu na cidade e, ao mesmo tempo, não é. Como não estou em lugar nenhum, vejo tudo. Como não existo socialmente, sou um par de olhos sem corpo, uma espécie de turista nativo (ahh ahh, ironia de novo), num mundo que não habito.

Minha vida é um grande playground, onde eu só posso brincar "de fora": fora da vitrine, da loja, da padaria. A vitrine é o lugar das coisas que eu não posso ter.

Não estou na paisagem. Sou apenas um contraponto que reafirma a vida real dos outros. De algum modo, sou útil. Nem sei que sou infeliz. Para mim, minha vida é normal. Os outros é que se sentem anormais na minha presença. Eu não tenho pena de mim mesmo; por isso, os outros ficam tão culpados.

Minha liberdade é em *cinemascope*, 360 graus: os outros veem em monóculos. O filme é todo meu, só que eu não posso entrar na tela. Eu assisto a um filme dentro da ação, só que não consto do elenco...

As pessoas preferiam que eu não existisse. Percebo isso com encanto, quando sou expulso de uma loja, ou quando ignoram minha presença. Eu percebo que estrago a festa. Eu sou o Outro total, o Outro completo, tão "outro", que não posso ser visto. Não tenho espelho, nada me reflete.

Mas eu inquieto. Por quê? Porque a infância é para todos o paraíso das recordações doces. "Ahh, a aurora da minha vida", dizem todos. Eu estrago a aurora das vidas. Sou um ruído em Proust.

Às vezes, se abre um buraco de luz onde ando. Quando há uma família com filhinhos, papai e mamãe na porta da padaria, vou andando e fico bem perto deles. É uma maneira de ter uma família, só que "de fora". Explicam por que eles não são como "eu", que é a versão social sobre mim. Ou então, por que eu não sou como "eles", o que seria o discurso político. Mas, em geral, os pais se afastam, pálidos. Eu sou um panfleto pós-utópico, sem esperança.

Percebo também que, como sou pequeno, fraquinho, sou uma espécie de antineném. Algumas mulheres têm vontade de me abraçar, me botar no colo. Mas não têm coragem. Eu crio nelas a crise de quererem beijar alguém que lhes dá medo, ou que dará.

Por enquanto, eu sou um leãozinho que ainda não morde. Além disso, já pensaram nas consequências políticas desse gesto? Tudo começaria no beijo e criaria uma cadeia de implicações que ameaçaria a ordem social.

Como não me veem, eu só vejo o que ninguém quer ver. Vejo uma sociedade sem futuro ou passado, só um presente enorme, sem tempo.

Eu tenho a cultura dos detritos, os fragmentos do meio-fio, a fome dos ratos, o medo dos pés que passam à minha altura; mas tudo isso sem nenhuma visão crítica, como teria um filósofo da USP. Não tenho projetos ou opções. Melhor dizendo, tenho; mas são projetos claros: "mais tarde é a hora de o português despejar o lixo da lanchonete" ou "quem roubou minha latinha?".

Eu diria que sou um "pragmático". Um materialista, não dialético. Nem quero entrar na sociedade de vocês, tampouco. Tenho minha própria ordem. Conheço os bueiros quentes e os frios, os mendigos legais e os não, os grandes ovos podres, os *humpty-dumpties* sujos das ruas, os viados assassinados, as regras do jogo da morte e da vida. Eu sou vivido, do alto dos meus 4 anos.

Eu sou vanguarda. Eu não tenho muito a aprender com vocês. Vocês têm a aprender comigo. Sem contar a lição existencial que dou: a solidão, a convivência com o não sentido, sentimento do absurdo da vida, do nada e do ser.

O proletário foi o herói moderno. Eu, o lúmpen, sou o herói pós-utópico. A partir do meu nada, podem recomeçar a pensar, como eu penso.

Tenho muito a ensinar: esperança zero, o uso intensivo das parcialidades (trapos velhos, restos de pão, lixo da lanchonete). Ensino uma lógica a-histórica. Ensino a arte de viver nas frestas do mercado (ou das feiras). Ensino a arte de aproveitar cada migalha de vida, cada nicho de rua. Ensino economia informal.

Ensino o aproveitamento dos desperdícios, a diminuição do "custo Brasil". Eu sobrevivo com pouco, eu sou uma microempresa.

Eu sou cultura brasileira também.

O Brasil tem muito a aprender comigo.

O lobo com suas grandes asas

Ele estava diante da nova secretária quando, de repente, aconteceu. Ela o olhou de um jeito novo. Pela primeira vez na vida, uma mulher o fitava com um brilho seco no olhar que dizia: "Nem pensar!" Era um daqueles instantes em que um homem percebe que a vida dera uma guinada. E ele começou a sofrer. Aquela mulher não o desejara. Seus olhos eram um espelho apagado.

Não era um velho ainda, aos 58 anos, mas já estava na chamada "idade do lobo".

Já ganhara dinheiro e poder. Agora, queria conquistar tardiamente a magia do amor.

Já sentia por vezes a presença da morte, no espelho do mictório, no rosto do maître do bar, na cicatriz da plástica de sua mulher. E, da mesma maneira que empilhara sua fortuna, partiu para recuperar o tesouro da juventude.

A primeira foi uma moça com olhos de chumbo, que ele conquistou uma noite num *nightclub* sórdido. Outras vieram, todas jovens. Mas ele notou aos poucos que elas eram ostensivamente animadas com ele, sorrindo num esforço extra de euforia, para esconder o tédio e o desinteresse. Mas ele queria a alegria real, queria que o desejassem com a fome das mulheres apaixonadas. Ele queria o mesmo sentimento que tivera em uma tarde, trinta anos atrás, na praia de Copacabana, uma tarde molhada de chuva num fim de carnaval, agarrado numa colombiana apaixonada, sob o temporal que caía e no meio da imundície dos blocos, entre gritos, chopes, vagabundos e putas. Era sua lembrança mais feliz.

Era uma meta que ele traçava como um *target*, planejadamente, como um bom executivo. Tentou os movimentos rápidos da juventude, as roupas leves, a dieta, sob os olhos compadecidos da esposa, que ele beijava com uma intensidade fria, compensando com esforçada ternura o vazio de seu amor por ela, que se deixava beijar, como se ele partisse para uma longa viagem.

Ele lutava pela volta da alegria, como um missionário, mesmo sabendo-se ridículo.

Durou pouco tempo seu bailado de falso garotão, contemplado pelos olhos vazios das parceiras, enquanto suas bocas sorriam.

Resolveu-se então pela "bondade", pela generosidade dos velhos.

Isso lhe deu um prazer novo, pois sentia-se mais sincero, mais "fiel a si mesmo", como lera no livro *Como envelhecer sem dor*. Cobria as meninas de joias e dinheiro e ganhava o consolo de lamber suas coxas duras, esfregar o rosto entre as nádegas, tendo orgasmos abraçado em corpos jovens que lhe pareciam tábuas de salvação.

Conseguiu emoções felizes, mas nada como aquela tarde de tempestade em Copacabana no bar sujo no carnaval. Nos olhos das amantes, ele enxergava gratidão, mas também momentos de impaciência, indícios de falso respeito e até mesmo faíscas de desprezo por ele.

Isso não durou muito, porque, se a bondade lhe dava paz, esta era suplantada por uma tristeza de velho. Foi então que se decidiu pela dor.

A súbita impaciência de uma amante que quebrou um jarro na televisão, com grande explosão de ódio, estando ela só de calcinha e bêbada, chorando a ausência de um cafetão cafajeste que lhe tinha aberto uma cicatriz no queixo, lhe deu essa ideia.

A soma de ciúme pelo outro, da beleza da violência, da explosão de ódio numa menina nua, as três coisas lhe pareceram brilhar como uma breve tempestade (como a de Copacabana). E por alguns segundos aquela *garçonnière* conjugada com quitinete teve um flash que avivou as cores do sofá laranja, as paredes ocre e o cartaz de Van Gogh com girassóis.

Mesmo sabendo-se errado, mergulhou num amor unilateral por essa mulher (japonesa — olhos de ódio), jurando-lhe ardentes sentimentos, beijando-lhe as mãos, os pés. A princípio, a mulher recebeu seu amor com certo enlevo, intrigada com tal explosão, mas aos poucos esse fascínio deu lugar a um enjoo (aí, sim, começava a magia para ele), e o enjoo da moça se transformou em pequenas maldades, desatenções, crueldades que ele gostava de estimular com beijos excessivos, na volúpia de errar todas as regras do amor.

Beijava-lhe os sapatos, olhava-a de baixo, via pernas longas, coxas infinitas subindo a um céu de cabelos, calcinha, salto agulha, batom, e conseguiu alguns momentos de real eternidade, quando o tempo parava no meio da dor, quando o sexo virava um veneno secreto. Foi escorraçado, passou noites no frio, olhando o quarto aceso onde sua amante o traía com garotões, ouvia os gritos pela janela do primeiro andar e, bêbado, chorava com um desespero bem-vindo, alcançando, por instantes, a dolorosa sensação da existência plena.

Em desesperada busca do "descontrole", chegou mesmo perto da morte quando, sob o olhar da amante seminua, foi surrado num corredor do prédio por um jovem cafetão que lhe empurrou escada abaixo, que lhe fechou um dos olhos com socos e lhe tirou sangue da boca, que a mulher em casa (para quem ele disse que fora assaltado) curou pensativamente na madrugada do lar. Orgulhoso de seus ferimentos, algo perto do alívio o tomou, mas não era ainda a alegria. Na hora do espancamento no corredor escuro do edifício, sob os olhos cruéis de uma puta, ele se sentiu inteiramente à mercê da morte, enquanto caía na escada, empurrado de costas. Ali, por um segundo, sentiu-se no ar, no voo de um instante, e entendeu que tinha de programar seu descontrole, sempre se jogando num voo sem rede, entrando em situações que o levassem a um êxtase de "não saber", onde encontrasse uma eternidade igual àqueles momentos da juventude que vieram sem aviso.

Foi então que conheceu Aída. Era amiga de sua filha, tinha 17 ou 18 anos, andara fora da cidade internada num sanatório, tinha ficado louca (diziam), mas agora estava melhor, depois de muito tratamento. Era uma mulher morena de cabelos de índia furiosamente negros, dois olhos amarelos, meio vesga, braços e pernas um pouco masculinos, ancas largas, dando a impressão de fortaleza, dentro da qual (diziam) morava o espírito frágil da insânia.

Ele não fez nada nem soube como ela, depois de lhe cravar os olhos tortos, deu um jeito de estar sozinha com ele num quarto vazio, onde ela começou a lamber seu corpo como se fosse um bicho treinado para isso, e ele nunca soube como começou aquela loucura, aquela jovem ajoelhada a seus pés, aquela menina ajoelhada, chupando-o com os olhos tortos, como diante de um santo, e suas pernas tremiam diante daquela paixão súbita de um animal com sede, ela, Aída, que lhe trancava as pernas entre os braços musculosos e gemia palavras obscuras e que lhe mordia o corpo e se lambia a si mesma, esfregando esperma nos seios, num banho faminto.

Ela o contemplava de uma região mais escura, mais misteriosa que a sua. Não havia escolha, ele estava preso a esse mistério e a esse destino de loucura, e foi assim que se viu agarrado nesse corpo de índia, de cabocla louca, por praias, por quartos escuros de hotel, em carros, sumindo no mundo com ela, sob o pânico das famílias, sem saber o que lhes aconteceria, ele de cabelos brancos, ela de cabelos negros nas praias, florestas, em longas fodas de gemidos e grunhidos.

Agora, senti chuva no corpo como a tempestade que buscava em Copacabana há tantos anos, e finalmente via o rosto de Aída contra o crepúsculo roxo, e o tempo girando como um redemoinho atrás deles.

Havia uma alegria infinita ali, sempre velada pela morte. A morte não estava mais longe, naquela alegria selvagem. E tanto a alegria quanto a morte ficaram intactas na tarde em que ele foi ao topo de uma montanha com Aída olhando-o, quando ele vestiu a grande asa-delta que alugou de um negro, em que resolveu voar. Ele parecia um anjo de cabeça branca, sorrindo para ela, na beira da montanha.

E a alegria e a morte ficaram juntas, sincronizadas, quando ele pulou e voou sobre o Rio de Janeiro, olhando o céu e o mar lá embaixo, feliz, pensando em Aída.

E, quando seu coração parou no ar e a morte chegou para ele, a asa-delta continuou flutuando lentamente com seu corpo em direção ao chão e, assim, ele não teve tempo de ver a chegada dos pais e dos enfermeiros de Aída, que a agarraram lá embaixo, Aída, que ficou olhando para o céu desesperada no carro, prisioneira da família, gritando e gemendo, e que a cada curva na estrada virava a cabeça para trás e para o alto, com os olhos tortos fixos no céu, vendo a asa-delta que descia em giros doces, lentos, levando-o ao chão com a adolescência reencontrada, sob a antiga tempestade que começava a cair.

Maldita seja a pornopolítica!

Malditos sejais, ó mentirosos, negadores, defraudadores, trampistas, intrujões, songamongas, chupistas, tartufos, sicofantas, embusteiros e vigaristas, que a peste negra vos cubra de escaras pútridas, que vossas línguas mentirosas sequem e que água alguma vos dessedente, que vossas patranhas, marandubas, fraudes, carapetas, lérias e aldravices se transformem em cobras peçonhentas que se enrosquem em vossos pescoços, que entrem por vossos rabos, cus, rabiotes e fundilhos e lá depositem venenosos ovos que vos depauperem em diarreias torrenciais e devastadoras. Que vossas línguas se atrofiem em asquerosos sapos e bichos pustulentos que vos impedirão de beijar vossas amantes, prostitutas, barregãs e micheteiras, que vos recebem nos lupanares de Brasília, nos prostíbulos mentais onde viveis, refocilando-se nas delícias da roubalheira.

Malditos sejais, ladrões, gatunos, pichelingues, unhantes, ratoneiros, trabuqueiros dos dinheiros públicos, dos quais agadanhais, expropriais cerca de 20% de todos os orçamentos, deixando viadutos no ar, pontes no nada, esgotos a céu aberto e crianças mortas de fome, mortas de tudo, enquanto trombeteais programas populistas inócuos. Que a maldição de todas as pragas do Egito e do Deuteronômio vos impeça de comer os frutos de vossas fazendas escravistas, que não possais degustar o pão de vossos fornos nem o milho de vossos campos, e que vossas amantes rancorosas vos traiam e vos contaminem com as mais escabrosas doenças e repugnantes feridas!

Malditos sejais, carecas sinistros, valérios sem valor, homúnculos dedicados a se infiltrar nas brechas, nas breubas do Estado, para malversar, rapinar, larapiar desde pequenas gorjetas como a do Marinho, naquele gesto eternizado na TV, até grandes negociarrões com empresas-fantasmas em terrenos baldios!

Malditas sejam as caras de pau dos ladravazes, com seus ascorosos sorrisos frios, imunda honradez ostentada, tranquilo cinismo, baseado na crapulosa legislação que os protege há quatro séculos sem, por compradiços juízes, legisperitos fariseus que vendilham sentenças por interesses políticos, ocultados por intrincados circunlóquios jurídicos, solenes lero-leros para compadrios e favores aos poderosos; que vossas togas se transformem em abutres famintos que vos devorem o fígado, acelerando vossas mortes que virão pelo tédio e por vossa ridícula sisudez esclerosada com que justificais repulsivas liminares e chicanas, que liberam vagabundos ricos e apodrecem pobres pretos na boca do boi de nossas prisões!

Malditos sejais, falsos revolucionários, medíocres carbonários agarrados em utopias velhas de um século, ignorantes que disfarçam a própria estupidez em ideologia, para os fins mais asnáticos, por meios estapafúrdios; malditos sejam os 40 mil canalhas infiltrados pelos bolchevistas-dirceuzistas-genoínicos na máquina pública, emperrando-a e sugando migalhas do Estado com voracidade e gula! Tomara que sejais devorados pelos carunchos que rastejam nos arquivos empoeirados da burocracia que impede o país de andar! Que a poeira dos arquivos mortos vos sufoque e envenene como o trigo roxo dos ratos!

Malditas sejam também as "consciências virginais", as mentes "puras" que se escandalizam com os horrores, mas nada fazem; malditos os alienados e covardes, malditos os limpos, os não culpados, os indiferentes, que se acham superiores aos que sofrem e pecam; malditos intelectuais silenciosos que ficam agarrados em seus dogmas e que preparam a espúria reeleição dessa gente e a chegada posterior dos populistas e falsos evangélicos mais sórdidos do país!

Malditos sejam também os governistas que ousam negar o "mensalão", malditos sejam os técnicos despudorados que ostentam uma "seriedade" lógica e contábil nos fundos de pensão e em estatais, de onde jorrou o grosso do dinheiro do valerioduto! Malditas sejam as metáforas que escorrem dos bolsos do Lula como pequenas lesmas, gordas sanguessugas, carrapatos infectos. Que essas metáforas lhe carcomam o corpo e que seus bonés, barretes, toucas e gorros de Papai Noel demagógico lhe atazanem o crânio até ele confessar que sabia de tudo, sim! Que sua cara denuncie tudo o que ele é, desde a vermelhidão crescente de suas bochechas até as sobrancelhas de diabo que traem o sorriso populista para enganar os mais pobres!

Malditos anjos da cara suja, malditos olhinhos vorazes, malditos espertos fugitivos da cassação; anematizados e desgraçados sejam os que levam os dólares na cueca e, mais que eles, os que levam dólares às Bahamas, malditos os que usam o "amor ao povo" para justificar suas ambições fracassadas, malditos severinos que rondam ainda, malditos waldomiros e waldemares que rondam ainda, malditos dirceus, arroz de festa de intelectuais mal informados, malditos sejam, pois neles há o desejo de fazer regredir o Brasil para o velho Atraso pustulento, em nome de suas doenças mentais infantis!

Se eles prevalecerem, voltará o dragão da Inflação, com sete cabeças e dez chifres e sete coroas em cada cabeça, e a prostitua do Atraso virá montada nele, berrando todas as blasfêmias, vestida de vermelho, segurando uma taça cheia de abominações e de suas fornicações, e ela, a besta do Atraso, estará bêbada com o sangue dos pobres e em sua testa estará escrito: Mãe de todas as meretrizes e Mãe de todos os ladrões que paralisam nosso país.

Só nos resta isto: maldizer.

Portanto, que a peste negra vos devore a alma, políticos canalhas, que vossos cabelos com brilhantina vos cubram de uma gosma repulsiva, que vossas gravatas bregas vos enforquem, que os arcanjos vos exterminem para sempre!

Referências

Crônicas inéditas em livros

A mão invísivel do mercado
A estética da corrupção
Caro Rubem Braga
Matupá: a história da crueldade
Monólogo de uma mulher de mercado
Cabeça falante faz filosofia de miséria
O malabarista
O filme que Rimbaud fez antes do cinema
O latino assassino
No chão de Copacabana
Antonioni desapareceu do cinema
Tom Jobim estava entre nós e a natureza

Crônicas publicadas originalmente no livro *Pornopolítica* (Objetiva, 2006).

Amor, sexo e um outro sentimento
O mandacaru na sala de jantar
Viagem ao pornocinema

A última vez que eu vi Fidel Castro
Estamos todos no inferno
O lobo com suas grandes asas
Maldita seja a pornopolítica!

Crônicas publicadas originalmente no livro *Amor é prosa, sexo é poesia* (Objetiva, 2004).

O travesti na terceira margem do Rio

Crônicas publicadas originalmente no livro *Invasão das salsichas gigantes* (Objetiva, 2001).

No Cinema Novo, éramos românticos de Cuba
A bomba indiana
A ilha de "Caras" e a utopia
O pecado faz falta na feira de sexo em Nova York
O pai do pai do pai
A noite do grande orgasmo brasileiro
Eu e o ovo transgênico
João Cabral mostrou o que a poesia poderia ser

Crônicas publicadas originalmente no livro *Sanduíches de realidade* (Objetiva, 1997).

A beleza trágica da miséria
O ânus ameaça a Nova Ordem Mundial
Caruaru mostra que miséria é mercado
Eu tomei a canja das 13 galinhas
Um crime que tenho que confessar
Eu sou um leãozinho que ainda não morde

Crônicas publicadas originalmente no livro *Os canibais estão na sala de jantar* (Siciliano, 1994).

A riqueza oculta dos mendigos de rua
Os canibais na sala de jantar

Conheça mais sobre nossos livros e autores no site
www.objetiva.com.br

Disque-Objetiva: (21) 2233-1388

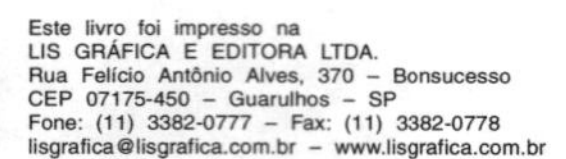

Este livro foi impresso na
LIS GRÁFICA E EDITORA LTDA.
Rua Felício Antônio Alves, 370 – Bonsucesso
CEP 07175-450 – Guarulhos – SP
Fone: (11) 3382-0777 – Fax: (11) 3382-0778
lisgrafica@lisgrafica.com.br – www.lisgrafica.com.br